PROYECTO MESÍAS

José Luis Camacho

Proyecto Mesías

SP

mr

© José Luis Camacho, 2016
© Editorial Planeta, S. A., 2016
Ediciones Martínez Roca es un sello editorial de Ediciones Planeta Madrid, S. A.
Avda. Diagonal, 662-664
08034 Barcelona
www.mrediciones.com
www.planetadelibros.com

ISBN: 978-84-270-4247-6
Depósito legal: B. 10.930-2016
Preimpresión: MT Color & Diseño, S. L.
Impresión: Huertas, S. A.

Impreso en España-Printed in Spain

Dedicado a Marta Ruescas y Rubén Buren, sin cuya ayuda este proyecto jamás habría salido a la luz.

ÍNDICE

PRÓLOGO

Saigón, 1975

—No frene, pase lo que pase debemos llegar a tiempo.

Izquierda, derecha, izquierda, derecha. El sonido de la goma del limpiaparabrisas arañando el cristal que apenas podía contener la lluvia torrencial empezaba a poner algo nervioso a Asmodeo. Apuraba su cigarrillo mirando el reloj.

—¿Es que no puede darse más prisa?

Quizá Saigón no era la mejor ciudad para tener prisa, con su movimiento nocturno de soldados norteamericanos borrachos, las prostitutas invadiendo la calzada y gente que se movía hacia todos los lados. La Perla de Oriente se había quedado en una ciudad que apenas se mantenía en pie ante el definitivo avance del Vietcong. El taxista no entendía bien el depurado acento de su nuevo cliente y lo miraba encogiendo los hombros por el espejo retrovisor. En el fondo, Asmodeo sonreía viendo toda aquella barbarie; los lugares terminales, las guerras, la muerte cercana le producían una extraña sensación de satisfacción.

Por fin llegaron a un callejón que se abría paso entre dos puestos de comida barata que exhalaban un hedor a animal recién sacrificado, a sangre mezclada con las gotas de lluvia corriendo hacia las alcantarillas. Varios vietnamitas montados en bicicleta lo miraron salir del taxi sin disimular su curiosidad; quizá pensaron que era otro occidental que intentaba salvar lo que pudiera ante la inminente llegada de los que habían ganado la guerra. Tantos empresarios habían tenido que salir huyendo dejando atrás todo, que no era extraño. Pero aquel barrio no era el más indicado para ir con traje caro y maletín de cuero. Asmodeo les respondió con un leve gesto, una pequeña mueca. Entendieron que era uno de esos tipos demasiado peligrosos para unos insignificantes rateros.

Caminó unos pasos por el callejón, dio una última calada, dejó que las últimas gotas de lluvia resbalaran por su rostro y llamó a la puerta oxidada con tres golpes. Una pequeña trampilla se deslizó y Asmodeo sacó una tarjetita con unos signos y se la mostró a quien estuviera al otro lado. La puerta se abrió y un hombre de gran estatura le ofreció una toalla para secarse.

—¿Llegamos a tiempo? —preguntó Asmodeo.

—Sí —respondió conciso el portero.

Atravesó la cocina de un restaurante, cruzó un estrecho pasillo lleno de manteles, botellas y platos sucios y, por fin, se encontró con la puerta que tanto tiempo había esperado. Tomó aire e intentó disimular su pequeña sonrisa, una sonrisa con la que apretaba los dientes desde hacía días, desde que se enteró de aquella subasta que iba a cambiar la historia de la humanidad. La doble puerta abría un salón invadido por el humo, gente rica de varios países sonreían y brindaban con champán mientras los camareros les ofrecían bandejas repletas de canapés y cocaína. Varias señoritas con poca ropa se sentaban en las rodillas de hombres que no ocultaban su opulencia, con sus billetes reposando sobre las mesas.

—Pensaba que no ibas a llegar a tiempo, como siempre —comentó en voz baja una mujer que se ocultaba en la oscuridad de una de las esquinas. Una pamela negra le cubría el rostro y fumaba uno de esos cigarrillos con boquilla a lo Marlene Dietrich. Su acento era marcadamente alemán.

—Siempre llego cuando tengo que llegar —respondió Asmodeo encendiendo otro cigarrillo con un mechero zippo del ejército americano.

—Esa mierda te va a matar algún día —comentó irónicamente la mujer.

—A los muertos no se les puede matar.

Asmodeo se sentó en una de las mesas, la que tenía el número 72, a unos metros de la mujer. Reposó su maletín de cuero negro sobre la mesa y lo abrió para comprobar si todo estaba en su sitio. El tipo vietnamita que parecía dirigir la subasta hablaba por un micrófono, en un pobre inglés, sobre el último objeto: una vasija de oro blanco con inscripciones sumerias. Asmodeo se dio la vuelta como para preguntar si realmente esa vasija era lo que él imaginaba y la misteriosa dama de la pamela afirmó con la cabeza, sonriente. Él era un experto en lenguas muertas, al fin y al cabo las había manejado desde niño y sabía que esa vasija solo podía provenir de unas excavaciones que nunca habían sido desveladas. Todo el mundo conocía que un grupo de científicos belgas había comenzado la búsqueda de Gilgamesh, el héroe antiguo, y que esa vasija podía contener algún elemento de su fórmula para la eterna juventud. Aquellos arqueólogos habían desaparecido en extrañas circunstancias, algunos decían que como resultado de los humores de una de las cuevas abiertas y otros que habían sido los Guardianes, esa denominación que siempre sonaba cuando se quería explicar lo inexplicable. Los Guardianes... menudo nombre para unos asesinos profesionales. Por si acaso, todos debían andarse con cuidado porque nadie en esa sala era lo que parecía. Cambiar el rostro y parecer otra persona no era algo demasiado difícil si se conocían ciertas fórmulas.

—¡Vendido por 350.000 dólares al señor de la mesa 23!

El tipo del micrófono aceptó la última oferta de un grupo de hombres con ropa árabe, seguramente jeques del petróleo, con gesto serio, que parecían desconfiar hasta de su sombra. Asmodeo se dio cuenta de que uno ocultaba un arma y no paraba de tocarse el bulto de su axila para ver si todo seguía en orden. Quizá, pensó, no estaban acostumbrados a este tipo de subastas. En la guerra hay gente que pierde y gente que gana, y los ganadores siempre son los mismos: los excéntricos millonarios que esquilmaban un país en ruinas que iba a cambiar de manos en unas horas. Seguro que los que venían iban a ser, al menos, tan malos como los que lo abandonaban.

El presentador recibió una llamada mientras servían más champán y pareció ponerse nervioso. Intentaba disimular su enfado, pero daba la impresión de que su interlocutor, al otro lado del teléfono, no le dejaba responder. Por fin, el hombre pudo hablar. Lo hacía muy rápido, en una lengua de la selva, parecida al camboyano. Asmodeo intentó traducir en su cabeza lo que decía, lo que apenas podía leer de sus labios. Alguien intentaba que la siguiente pieza no saliera a la venta porque ya tenían una oferta que provenía del exterior de la sala de subastas, pero el tipo del micrófono se negaba, no se fiaba, quería dinero contante y sonante, largarse del país y quitarse todo aquello de encima. Discutían sobre el precio de salida y a él le parecía mucho, demasiado, pero el otro parecía su jefe y debía obedecerle. Por fin el subastador colgó el teléfono, forzó una sonrisa que apenas dejaba entrever sus dientes de plata y continuó la muestra de objetos. El siguiente era el que Asmodeo esperaba, ese por el que había atravesado un país en guerra, el que llevaba buscando desde hacía decenas de años. Dos ayudantes trajeron un recipiente de un tamaño no más grande que una cajetilla de tabaco. Parecía hecho de titanio y completamente hermético. El tipo del micrófono lo colocó en una pequeña columna donde se mostraban los objetos en puja y comenzó a alentar a los presentes.

—El objeto número 33 viene de Turín, de Italia, y su precio de salida es de un millón de dólares. Sí, señores, es uno de los objetos más misteriosos de la subasta. Un millón de dólares es el precio que está dispuesto a pagar uno de los pujadores vía telefónica. ¿Alguien da más?

Todos quedaron en silencio, los camareros con sus bandejas, los ricachones con sus conversaciones y las chicas que estaban sentadas en sus regazos. Un millón de salida era demasiado dinero para aquel diminuto objeto del que no había más información. Asmodeo miró hacia los lados. La dama de la pamela había dejado su cigarrillo encendido descansando en el cenicero. Parecía haberse esfumado con el humo que se entrelazaba hacia el techo de la sala. Esperó unos segundos para ver si alguien mostraba interés y levantó la mano.

—¡Bien, el señor de la mesa 72 sube a un millón diez mil dólares!

Todos lo miraron sorprendidos, como si hasta entonces no hubieran reparado en su presencia. Asmodeo no era de esos tipos que dejan indiferente, su altura, su pelo canoso acariciando sus hombros, su rostro maciliento, una perilla poblada y blanca y sus extrañas cejas. Sin embargo, exhalaba una extraña falta de luz, como si su centro desprendiera una oscuridad atrayente e inquietante que helaba el corazón. Mirarlo era como mirar un lugar desierto; parecía que su presencia era la del vacío, como si nadie ocupase su espacio. Un vacío muy vivo.

—¿Nadie ofrece más?

Un tipo gordo que sudaba nervioso en la mesa 13 hizo una llamada urgente y hablaba mirando a Asmodeo. En breves segundos volvió a sonar el teléfono que tenía el presentador junto a su mesa con los papeles. Habló unos instantes y volvió a coger el micrófono sin colgar.

—Ofrecen un millón y medio vía telefónica. ¿El señor de la mesa 72 ofrece más?

Asmodeo levantó ligeramente la mano con el índice y el corazón de su mano izquierda bien separados.

—¿Dos? —preguntó nervioso el presentador—. ¿Son dos millones? —volvió a preguntar.

Asmodeo afirmó levemente con la cabeza mientras encendía un cigarrillo y su cara permanecía iluminada unos segundos. Los tipos del turbante que habían pujado por la pieza anterior estaban realmente nerviosos. Parecía que algo estaba a punto de saltar por los aires. Demasiada tensión para simples hombres que jugaban a ser dioses. Asmodeo sonreía. El tipo del teléfono se quedó en silencio unos eternos segundos. El gordo sudoroso estaba desencajado intentando hacer una llamada a un número que permanecía ocupado, mirando su maletín y contando varios fajos de billetes con desesperación. Todos aguardaban a que alguien hiciera algo y por fin el presentador, tragando saliva, recibió la instrucción desde el auricular y colgó.

—Vendido por dos millones de dólares al señor de la mesa 72.

Los dos ayudantes vinieron para guardar el objeto cuya venta debía ser formalizada al terminar la subasta, pero Asmodeo se levantó y los detuvo con un gesto, mientras se acercaba al pequeño escenario.

—Señores, discúlpenme —dijo abriendo el maletín—, pero tengo algo de prisa. Si es posible querría coger un avión. Comprueben que está todo.

—Pero... —El presentador no sabía qué hacer, afirmó con la cabeza con pleitesía y comprobó que estaba todo el dinero—. Aquí lo tiene, ¿señor...? —dijo como esperando respuesta.

—Número 72, con eso le vale.

—Bien, número 72, ha sido un placer hacer negocios con usted.

Hizo una señal a sus ayudantes para que sacaran el maletín con rapidez, pero en ese momento una voz visiblemente alterada se alzó en la sala. El tipo gordo de la mesa 13 había sacado una 45 y apuntaba a todos los asistentes.

—¡De aquí no va a salir nadie! —gritaba dirigiendo la pistola hacia todos los lados, nervioso.

—No sabe dónde se está metiendo, baje la pistola y cálmese —comentó Asmodeo sin darse la vuelta.

—¡No voy a dejar que se lo lleve! —gritaba el gordo sudando aún más.

Uno de los árabes había sacado un revólver y protegía a sus compañeros que, como casi todos los presentes, se habían metido debajo de las mesas. Asmodeo se acercó lentamente hacia el de la mesa 13 y lo miró a los ojos.

—¡Aléjate! ¡Aléjate o disparo! —amenazó el tipo secándose el sudor con un pañuelo blanco—. ¡No puedo dejar que se lo lleve!

—Es gracioso —planteó Asmodeo—. Hoy pensaba salir de aquí sin matar a nadie.

El 45 temblaba y, poco a poco, fue girando ante la sorpresa del tipo que la sostenía; el otro, el árabe, soltó la suya como si le hubiera quemado las manos.

—¡Qué está pasando! —gritaba el gordo—. ¡No os saldréis con la vuestra! ¡Si no soy yo... alguien os hará entrar en razón! —Y comenzó a rezar nervioso en una lengua antigua mientras la pistola se acercaba a su cabeza como si no pudiera hacer nada para cambiar su movimiento. Asmodeo le guiñó el ojo irónicamente y el propio dedo del hombre de la mesa 13 accionó el gatillo cuando apuntaba justo a su sien; inmediatamente después calló desplomado al suelo en un reguero de sangre.

—¿Alguien más tiene algo que decir? —comentó Asmodeo en voz baja, que, ante el silencio de todos, pareció retumbar en el salón.

—Márchese, señor, márchese —decía nervioso el hombre del micrófono, escondiéndose detrás del pequeño atril—. Ya tiene lo que venía buscando... ¡márchese!

Asmodeo cubrió la cajita con un pañuelo lleno de inscripciones mientras todos lo miraban aterrados y salió hacia el pasillo del restaurante. El portero, apenas le vio aparecer, cogió una barra de hierro y salió tras él, bloqueando la puerta con ella. En el interior se oían gritos y pronto comenzaron a disparar desde dentro a la cerradura.

—¿Ella ha salido? —preguntó al tipo que protegía la puerta.

—Sí, ya está en el avión.

—Bien. Hagámoslo. Activa el maletín.

Los dos se alejaron por el callejón y volvieron al bullicio de la noche. Unos segundos después una gran explosión que provenía del lugar de la subasta sacudió a los transeúntes. Al fin y al cabo, la guerra estaba terminando, ¿quién iba a preguntar por una explosión más? Al día siguiente los norteamericanos que quedaban iban a salir corriendo como las ratas en un naufragio para dejar entrar a las tropas comunistas que habían ganado la desastrosa guerra. Ganar o perder, ¿en una guerra alguien gana? Asmodeo volvió a sonreír levemente mientras se montaba en el taxi en dirección al aeropuerto del ejército americano. Por fin tenía lo que había buscado tantos años: los restos orgánicos extraídos de la sábana santa de Jesucristo.

1

ECHOES

La actualidad...

—*And no one called us to the land and no one knows the where's or why's. Something stirs and something tries, starts to climb toward the light...*

Matthew canturreaba la canción de Pink Floyd mientras jugaba con su portátil.

—No me vais a pillar, cabrones, el rastro lo voy a perder... ¡aquí!... en... Dubái, por ejemplo... ¡Qué os pensabais! —Soltó una gran carcajada—. ¿Que soy un principiante?

No recordaba la primera vez que había escuchado aquella canción, «Echoes», del grupo británico, lo que sí recordaba era la sensación de estar introduciéndose en algo mágico, una melodía cambiante que lo llevaba a un pequeño viaje espiritual, astral, y lo apartaba del mundo por unos minutos. Lo ideal para seguir con su existencia humilde y tranquila. Ahora era la vida que llevaba, una vida sin preguntas en un paraíso del Pacífico. Allí nadie preguntaba, muchos como él habían roto con su identidad pasada para reinventarse y ser otra persona. Cada uno se había reconstruido un nuevo yo limando esas pequeñas cosas que nadie podía saber. Negocios ocultos, antiguos militares de los países comunistas, espías de cualquier creencia... Gente que vivía el presente y que apuraba tranquilamente sus días sin importarle lo que depararía la civilización. Al fin y al cabo, ya habían jugado demasiado a esos juegos del capitalismo y el dinero, del poder y la injusticia. Ahora querían disfrutar en un dorado retiro, perdidos del ruido y gozando de unas merecidas vacaciones que tendían a ser eternas.

Aquel año estaba siendo un año prometedor, como todos: guerras, desbarajustes, mafias, espionaje industrial... en fin, la salsa para cualquier *hacker*. Cerró el ordenador y se preparó otro daiquiri, ya era el segundo de la mañana, pero eso le entonaba. Ron negro, lima, azúcar. Sabroso, dulce, amargo, potente. Miraba los vinilos de Pink Floyd como si fueran su pequeño tesoro, nunca le gustaron los CD ni esos artilugios que comprimían la música hasta hacerla sonar como dentro de una lata de sardinas. El ritual de observar la portada, quitar el polvo, cogerlo con sumo cuidado y dejar caer la aguja de su equipo Pioneer de los 80 de alguna forma le excitaba, como si algo mágico volviera cada vez que la música sonaba de esa manera tan rudimentaria. Con esos graves que se movían por la habitación y le acompañaban hacia la terraza donde se veía el mar. Bueno, el mar y aquella vecina canadiense que estaba tan buena y que tomaba el sol sin ropa hasta el mediodía, Chantall. Matthew sonreía con su bigote impregnado de lima y hacía como que miraba al horizonte. Ella sonreía y, de vez en cuando, le saludaba. Incluso quedaban a veces, para bucear o para tomar un daiquiri, incluso para tener algo de sexo, rápido y sin compromiso. Pero a ella le gustaban los tipos musculosos de la playa, los que tenían el cuerpo modelado y la piel tostada por el sol. En fin, lo contrario que Matthew, con su perilla sin cuidar y su aspecto un poco desaliñado, algo en forma, pero con una vaga sensación de dejadez. Nunca tenía tiempo para comprar ropa, para cuidarse un poco. Sí, la verdad es que tiempo era lo único que tenía en aquel lugar. Infinidad de tiempo que nunca terminaba. En aquella isla perdida el tiempo, a veces, se hacía eterno, parecía no anochecer nunca, como si las horas durasen el doble o el triple que en su antigua ciudad, Nueva York, donde los edificios se comían el sol y se vivía en eterna penumbra.

Desde los dieciséis años se había dedicado a piratear los sistemas informáticos de las empresas más encriptadas. Cada vez más retos, cada vez más complicaciones. Lo detuvieron varias veces desde entonces por robar claves, desde las notas del colegio al FBI. Al final pareció reformarse y entró a trabajar para uno de esos tipos que roban legalmente, un corredor de Bolsa, Denis Arkin, al que había hecho rico. Matthew diseñó un logaritmo que retardaba la información de la Bolsa de varias ciudades durante casi un minuto, primero le llegaban los datos a su terminal y luego a las diferentes bolsas de Estados Unidos. Un minuto, un tiempo casi inapreciable para un constante flujo de noticias, pero suficiente para forrarse. Nadie se daba cuenta, solo lo hacía en las jornadas en las que menos movimiento bursátil había, pero suficiente para comprar y vender acciones con información privilegiada. El problema fue que el tal Denis Arkin comenzó a prever que alguien se daría cuenta de la jugada y querría contratar a su *hacker* privado, por eso intentó matarlo. Como hacían los antiguos faraones egipcios con sus arquitectos. Una noche fueron a por él dos tipos, dos asesinos a sueldo que habían sido contratados por Arkin. Milagrosamente, Matthew había estado arreglando el ordenador del hijo de su vecina. Un chaval negro al que había cogido cariño y que, de alguna manera, había apadrinado. Su madre, con algún problema que otro con las drogas, trabajaba todo el día limpiando una empresa del centro y el chaval se pasaba las horas solo, por eso Matthew subía a veces a ayudarle a hacer los deberes o a jugar con él a la consola. Aquel día, cuando bajó de nuevo a su casa por las escaleras, vio la cerradura de su puerta forzada y sus sospechas se confirmaron. Llevaba tiempo sospechando de su jefe, al fin y al cabo, ya sabía cómo se las gastaba y había estado espiando su correo electrónico, sobre todo los mensajes que intercambiaba con una secretaria con la que pretendía fugarse, abandonar a su mujer y esas mentiras que dicen los ricos a sus amantes. Nunca le gustó aquel tipo de personas sin principios ni códigos morales, tan solo movidas por el dinero y el poder. No se fiaba de quien no tenía pasiones. Él no pirateaba para ganar dinero o para obtener el poder, lo hacía para poner en evidencia el sistema, la seguridad del sistema, y repartir justicia de vez en cuando o simplemente por jugar, por el reto de romper la seguridad de algo infranqueable.

Salió corriendo de aquel bloque de apartamentos del Bronx donde vivía y fue a la estación de tren. Allí, en una consigna, había guardado una vieja mochila con un portátil, unos documentos falsificados, unos

miles de dólares limpios y las llaves de un viejo Chevro-
let que descansaba en un aparcamiento del Lower
East Side de Manhattan. Recordó que uno de los mensajes de Arkin hablaba de Salomón, y de cómo este se
había deshecho de su arquitecto favorito, Hiram Abif,
alegando una excusa peregrina, pensaba: que su secreto debía ser solo del rey. Y eso había puesto en alerta a Matthew.

Llegó a México sin prisa; tampoco quería que en la
frontera hubiera gente esperando. Por eso antes se detuvo para enviar información a toda la prensa sobre
los chanchullos inmobiliarios de Arkin y sus infideli-
dades. Una venganza fría y sin huellas. Borró cualquier relación que hubiera tenido con él de todos los
registros de la red y comenzó su nueva vida con su
nuevo nombre, Matthew. El otro permaneció en el ol-
vido, nunca existió, incluso a veces para él era difícil
de recordar. Al fin y al cabo, no dejaba nada atrás: sus
padres habían muerto, o eso creía, pues nunca llegó a
conocerlos. No tenía hermanos y jamás había tenido
mucho éxito para mantener relaciones de más de unas
pocas semanas. Nunca se le dieron bien las mujeres.
Bueno, sí se le daban bien, pero dejaban de interesarle
en cuanto no suponían un reto. Y a ellas, las que le
aguantaban más de las tres primeras citas, les ponía
demasiado nerviosas su desastrosa manera de vivir.
Un reto, como su vecina canadiense, cuyo pasado no
había podido descubrir. ¿Alguien podía ocultarle información a él?, ¿quién era esa mujer que había tenido tanto cuidado en esconderse? Le encantaba no
fiarse de la gente, sobre todo eso. Imaginar e imaginar
de dónde vendría cada uno, fantasear con las vidas
pasadas de los que caminaban por el paseo marítimo.

Con la personas normales y corrientes, los que no tenían nada que esconder, no se llevaba demasiado
bien, le aburrían soberanamente e intentaba no perder el tiempo en conversaciones banales que no le
aportaban nada. Él no quería hijos, no quería preocu-
paciones, no quería conversaciones sobre la jubila-
ción, sobre el seguro dental o las malditas enfermeda-
des. Él quería romper los niveles de seguridad y
desviar algunos cientos de miles de dólares para cau-
sas justas sin que nadie supiera quién era ese héroe
anónimo.

Desde hacía tiempo regentaba un local de juegos,
algo pasado de moda, juegos de los 80. No daba dinero,
pero había turistas que lo veían como algo pintoresco
y se dejaban algunas monedas. Juegos de 8 bits, como
los que él había programado cuando era adolescente.
Incluso había creado algunos de los juegos de mayor
éxito, bajo el nombre de Ofiuco. Como una producto-
ra independiente que no tenía registro mercantil y
que regalaba el código de los programas para que los
aficionados mejorasen el juego inicial. Algo premoni-
torio de lo que ocurriría después, muchos años después. Pero ya casi nadie se acordaba de esos juegos en
la época de las consolas. Abría el negocio cuando algún crucero hacía parada en la isla, hecho que no sucedía demasiadas veces, y le encantaba tomarse un
par de daiquiris mientras veía a los chavales disfrutar
con las aventuras de Mario o con las invasiones aliení-
genas. Había comprado el negocio a un *hippy* español
que se había vuelto a Mallorca para vivir sus últimos
años con su hija, que al parecer había contraído una
enfermedad algo complicada. Por lo menos eso fue lo
que él le contó. Investigando, Matthew se enteró de

que había sido un antiguo militar con un pasado algo turbio, pero decidió no remover.

Pero Matthew realmente vivía de lo que iba robando al Banco Central Europeo, al que tenía *hackeado* desde hacía unos años. La fórmula era sencilla: se hacía un redondeo del tercer decimal del euro que generaban la gran mayoría de las transacciones bancarias, para posteriormente desviar grupos del falso redondeo a una cuenta de Macao. Las pequeñas cantidades invisibles no generaban error contable a la víctima y los cientos de miles de operaciones diarias le rentaban una pingüe suma. Al fin y al cabo, ¿quién iba a investigar movimientos de dinero tan pequeños? Y las leyes bancarias de Macao ofrecían una gran discreción. Era listo, además, y nunca transfería a su cuenta personal más de lo necesario para vivir tranquilo y sin trabajar en la isla. Hacía tiempo que había llegado a la conclusión de que el trabajo es lo que empobrece al hombre. Disponer de todo tu tiempo, sin necesidad de prostituirlo a las empresas por un miserable emolumento era la libertad. Aunque a veces fuera aburrida.

—Te van a salir rastas como no te peines pronto, Matthew. —Samuel reía mientras preparaba la mezcla para las botellas de inmersión.

—Las rastas son el símbolo de la melena del león, de la fuerza indomable. —Sonrió Matthew—. ¿Crees que tengo que cortarme el pelo?

—No sé. Si no quieres parecer un *hippy* de los 60 que se ha perdido con el ácido... pues deberías.

—Es que soy un *hippy* de los 60 que se ha perdido en un viaje de ácido. —Los dos rieron.

—Mira, haz lo que quieras, pero entre esa barriguita que estás echando, los pelos y las canas que te empiezan a salir...

—A las mujeres les gusta lo salvaje —respondió Matthew.

—Puede... yo no conozco ninguna a la que le guste tu «salvajismo», pero siempre hay una maleta para un viaje. Yo prefiero seguir haciendo abdominales y comer sano, deberías probarlo.

—¿Sano? —Suspiró Matthew—. Ya lo intenté un par de veces, eso no está hecho para mí. Eso es para los que queréis burlar a la muerte y esas cosas.

—Tienes razón, el ron es mejor.

—Sí, el ron es mejor.

La barca tenía el eterno vaivén del mar. Samuel regentaba un club de submarinismo donde acudían los turistas a bautizarse. El bautismo consistía en ir con un monitor hasta unos 5 o 6 metros bajo el mar y poder disfrutar de la fauna cercana a las rocas. La verdad es que, entre las mantas, las morenas, los pequeños corales y los peces de colores era todo un espectáculo. Sobre todo cuando algunas de las turistas eran mujeres separadas que iban buscando despedirse de sus exmaridos al calor de las fogatas nocturnas y los cócteles del chiringuito. Samuel's Dive era un negocio que daba poco dinero, pero muchas diversiones. De vez en cuando venían algunos abogados a pescar con arpones, esos pagaban más, pero eran demasiado estúpidos como para entablar excesiva conversación. Solo querían matar animales y sentir que dominaban la naturaleza. Samuel sabía que eran unos idiotas, pero necesitaba el dinero para mantener a su familia.

—¿Es esta noche cuando vienen las bobas?

—Sí, creo que sí —respondió Samuel.

—Podemos dar una vuelta por la Roca del Águila... Con la luna llena seguro que flipamos un poco.

—Díselo a tu canadiense y que se traiga a su amiga.

—¿Y tu mujer?

—Que venga también. —Sonrieron los dos.

—¿No te parece, Samuel, que aquí el tiempo es como si no existiera...? —reflexionaba en voz alta Matthew.

—Claro, para un tipo como tú todo es lento. Yo me crie en África y ahí sí que cada segundo es un regalo; los occidentales no sabéis vivir. Siempre tenéis prisa y queréis más y más y nunca descansáis. Os pierde la avaricia y la ambición.

—No será a mí.

—Sí, a ti también —dijo Samuel—. Detrás de ese *hippy* trasnochado no hay más que otro occidental conquistador, colonialista e intranquilo. —Volvieron a reír.

—La demagogia es todo un arte —afirmó Matthew—. ¿Te lo enseñaban en África, mientras te morías de hambre o mientras caminabas 30 kilómetros para buscar agua para tu pobre madre?

—Lo segundo. Mientras me quitaba el taparrabos y bailaba danzas del guerrero, no te jode.

—Podríamos ofrecer eso también... ¿Qué te parece? —Matthew se levantó y dibujó en el aire un cartel publicitario—. «Samuel's Dive and Tribal Dancing» ... solo para señoras, o señoritas, sin compañía... Que estén buenas, eso sí.

—Me gusta —comentó Samuel imaginándolo mientras seguía rellenando las botellas.

—¡Brindemos por ello! —Alzó su vaso al horizonte Matthew.

—¡No pensarás bajar así!, ¿cuántos rones llevas?

—Tres, cuatro, no sé... y sí, pienso bajar así y cantar y bailar debajo del agua, como Fred Astaire, claqué marítimo.

—Cada día te quiero más —comentó Samuel irónicamente.

—Y yo a ti.

Terminaron de preparar el material de buceo y se fueron a comer. Matthew decidió que era un buen día para encender las máquinas de su pequeña empresa de juegos recreativos y estuvo varias horas jugando al Donkey Kong, hasta que los rones hicieron efecto y se durmió en el corroído sofá que había puesto en el cuchitril que él llamaba oficina.

Llegó la tarde.

* * *

—Hola, Chantall...

La puerta de la preciosa canadiense se entreabrió y sus labios desprendieron una sincera sonrisa.

—Pasa, desastre...

Chantall debía de tener unos treinta y cinco años, rubia, media melena, muy atractiva. Trabajaba siempre pegada a un Mac que cerraba cuando Matthew se acercaba. Él no se fiaba de ella y ella no se fiaba de él, pero eran todo lo amigos que en aquella isla se podía ser. Como Samuel: sin preguntas, sin dudas, sin pasado. En su casa parecía no vivir nadie: ni un recuerdo ni una foto. Nada que le diese algún toque de personalidad. Y eso la hacía más misteriosa, más atrayente.

—¿Has comido? —le preguntó Chantall—. Estaba haciendo unas verduras para la cena. Si quieres te pongo un plato.

—Sí, he comido.

—El daiquiri no es comida.

—La lima hay que masticarla.

—Entonces sí, el daiquiri es comida. —Sonrió la bella canadiense mientras salía a la terraza—. He conseguido vino francés, ponte una copa si te apetece.

Matthew se sirvió una copa de vino, lo probó, lo saboreó y decidió bebérsela casi de un trago y servirse una segunda.

—Si tienes sed, bebe agua primero —comentó Chantall desde la tumbona, mientras intentaba seguir la letra de una canción que sonaba en la cadena.

—¿No tienes algo de Pink Floyd, *jazz*, *blues?* —preguntó él.

—Sabes que no, ¿cuántas veces lo vas a preguntar? —Suspiró ella—. Intenta escuchar, no te resistas ante la magia de la música de los 80.

—En los 80 no hubo música, tan solo la que hacían los grupos que sobrevivieron de los 60.

—Eres un abuelo prematuro. ¿Y las hombreras, las horteradas, los colores, el pelo cardado...? Yo a veces lo echo de menos.

—Pero si tú no debes acordarte de los 80, que no habías nacido.

—¿Es un piropo?

—¿Qué edad tienes? —preguntó Matthew haciéndose el despistado.

—¿No lo has visto aún en mi cuenta...? —Sonrió Chantall mientras acariciaba la copa de vino con su

dedo índice—. ¡Ah, que no has podido entrar todavía!
—Levantó las cejas como símbolo de victoria.

—Yo no...

—La última vez, a ver... ¿esta mañana?... No te preocupes, Matt, a mí me gusta que lo intentes, es como un juego. Pero estás un poco oxidado, tienes que renovar tus maneras.

—¿Oxidado? ¿Yo?

—Sí, tú.

—Si quisiera entrar a tus claves...

—Treinta y siete.

—¿Qué?

—Que tengo treinta y siete años, recién cumplidos, una edad en la que todo puede pasar todavía, menos enamorarme y creer que la vida es un cuento de hadas.

—Vaya, siempre pensé que tenías treinta y cinco.

—Ya, seguro que has pasado muchas noches intentando descifrar mi edad. Imagino que estaba vestida en tu imaginación, ¿no?

—Claro, como una esquimal de vestida...

—¿A qué has venido?

—Bueno, Samuel..., oye este vino es cojonudo. ¿Qué es?

—Un vino caro, muy caro, diría que carísimo.

—Samuel —prosiguió Matthew— ...bueno, y yo, habíamos pensado si te apetecería venir esta noche a la roca, vienen las bobas, como todos los años, y ya sabes que puede ser un espectáculo.

—Sí, puede ser un buen plan. Déjame acabar unas cosas y voy. ¿Se lo digo a Marian?

—Bueno...

—Sí, Samuel seguro que no te ha dicho nada de que vaya Marian. —Le guiñó un ojo—. Claro.

—A Samuel no le gustan las mujeres, ya sabes, es un hombre casado, casto y puro.

Los dos rieron un rato y disfrutaron del vino mirando la puesta de sol mientras sonaba aquel horroroso ruido que decía ser música pop. Matthew odiaba el pop, si por él fuera piratearía todas las discográficas y emisoras de pop y lo condenaría a la hoguera. Seguro que un día lo iba a hacer. Pensar eso le hacía gracia, era como sentirse poderoso. La elección nos hace poderosos, se repetía una y otra vez.

Cuando cayó la noche recogieron a Marian y fueron en el coche de Chantall hasta la roca donde les esperaba Samuel con todo preparado: unas cervezas frías, algo de comer y el material de buceo.

Samuel dijo que su mujer no había podido venir, siempre le pasaba cuando Marian iba a aparecer y nadie preguntaba. Se pusieron los trajes y se embarcaron en el *Halcón Milenario*, así había bautizado Samuel a la pequeña lancha de seis metros de eslora que utilizaba para los bautismos.

La luna llena dejaba infinidad de brillos que se introducían hasta varios metros de profundidad. La fauna marina estaba especialmente activa esos días y se podían contemplar especies que nunca se dejarían ver en una noche normal. Incluso algún tiburón pasó cerca de ellos sin prestar demasiada atención ante los gestos de júbilo de Samuel. Se alejaron unas decenas de metros del *Halcón* y el amigo de Matthew les señaló un camino por el que las tortugas podrían pasar. Chantall y Matt se reían y hacían gestos viendo cómo Samuel y Marian se quedaban retrasados unos metros. Él la rozaba con sus manos para enseñarle algún animal y ella se agarraba a sus hombros para bucear.

Parecían dos adolescentes. La miraba moverse en el agua y pensaba que podría vivir en aquella isla el resto de su vida tan solo viendo cómo envejecía e intentaba descifrar sus misterios.

De pronto, un montón de luces iluminaron la noche. Focos provenientes de unas lanchas motoras que se movían rápido, rodeándolos. Samuel hizo señales a los tres para que subieran a la superficie, pensando que se trataba de algunos turistas despistados, pero al quitarse las gafas vieron un montón de armas apuntándoles.

«Salgan», decía la voz desde un megáfono. Los cuatro salieron y subieron a una lancha militar donde les hicieron sentarse y les ataron las manos. Se acercó un tipo, el que parecía mandar, y los observó durante un rato. No tenían ningún distintivo de ningún país, parecían paramilitares y no querían hacer amigos, eso seguro. Chantall miraba al suelo segura de que todo era por ella, intentaba ver las opciones de huida, las posibilidades de escape, y se sentía idiota pensando en cómo se había dejado coger de esa manera tan de principiante. Samuel intentó dialogar con uno de los soldados y recibió un culatazo en la mandíbula que le dejó algo mareado. Marian intentó consolarlo, mientras temblaba.

—Si no hacen tonterías no vamos a hacerles ningún daño —comentaba el que parecía el capitán—. Si colaboran todo va a ser normal y dentro de unos minutos podrán seguir disfrutando de su paseo acuático, y esto no será más que un extraño recuerdo. Digamos que esto nunca habrá pasado. ¿Verdad, Matthew? —Chantall abrió los ojos, sorprendida, y Matthew sonrió pensando que Arkin no iba a llegar tan lejos; al fin y al cabo, lo había destruido y, según decían, se había suicidado en un motel de carretera cerca de Las Vegas.

—¿Yo? —Sonrió Matthew—. Creo que se equivocan de tipo, yo soy... —Un par de puñetazos en el estómago le hicieron recordar quién era realmente.

—Podemos solucionarlo civilizadamente: usted nos acompaña y sus amigos viven... o podemos dejar tres cuerpos a los tiburones y usted nos acompaña igualmente. Señorita Chantall, soy un gran admirador de su trabajo, realmente es impecable, pero ha estado viviendo estos años con el gran maestro y no se ha dado ni cuenta. Eso no dice mucho a su favor.

—Está bien, déjenles ir y hagan conmigo lo que quieran —intentó hacerse el héroe Matthew—. ¿Quiénes son ustedes?

—Todo a su tiempo, señor Ofiuco, todo a su tiempo.

—¿Ofiuco? —preguntó sorprendida Chantall—. ¿Todo este tiempo he estado...? ¿Eres tú?

Matthew sonrió.

—Eso me temo, Chantall.

—Sabia decisión —comentó el capitán—. Caballeros, libérenlos.

—¿Cómo sé que no les pegarán un tiro?

—Somos hombres de palabra, si usted colabora, nosotros nos olvidaremos de esta isla y sus amigos podrán seguir haciendo... eso que hacían, ¿verdad, señorita Duchamp? —Chantall estaba algo cabreada y confundida y no quiso responder. Matthew aceptó.

* * *

La lancha con sus amigos se alejó y a Matthew le quitaron las esposas con las que le habían atado las manos. Realmente no sabía quiénes eran aquellos tipos, pero sabía que habían ganado la partida, al menos la primera partida. Llegaron a un barco, parecía un pesquero, aunque él no sabría distinguir un barco pesquero de un acorazado de guerra a no ser que le enseñaran los cañones. Simular un barco de pesca parecía un buen señuelo para despistar los controles y a los piratas de la zona. Le metieron en un camarote sin ventanas, solo una cama, una silla, un váter y una botella de agua. Allí estuvo intentando escuchar las conversaciones y adivinar el rumbo observando las estrellas por un pequeño agujero que dejaba entrever algo del exterior. Un par de días después aparecieron dos tipos y le indicaron que les siguiera hacia una sala. Le ofrecieron comida y él preguntó si había ron Santa Teresa cubano. Realmente los tipos estaban extrañados; normalmente, cuando hacían este tipo de cosas, secuestrar a un individuo en medio del mar en una isla perdida mientras buceaba, la gente se asustaba un poco, pero Matthew solo quería tomar un daiquiri y no hacía más que pensar en quién se quedaría con sus vinilos de Pink Floyd. Seguro que Chantall se marcharía de la isla, lo que fuera que había estado haciendo esos tipos lo sabían y ya no estaba segura allí. Le jodía no volver a verla, podrían haber tenido una bonita relación, tipo Casablanca, si las cosas no se hubieran torcido de esa manera. Samuel se cuidaría de sus cosas, eso seguro, los protegería hasta que él volviera. Si volvía.

—Señor Ofiuco —comentó el capitán ofreciéndole un asiento al otro lado de su mesa—. Siéntese, por favor. Ya le están preparando su... ¿daiquiri?

—Sí, con una rodajita de lima, por favor —respondió Matthew haciendo un gesto afirmativo—. Veo que es usted de la vieja escuela. ¿Rusos? ¿Israelíes? ¿Alemanes? ¿Ingleses?... ¿Quién les paga?

—Tiene usted dos opciones, señor Ofiuco... digamos que el Banco Central Europeo está perdiendo algo de dinero con usted. En total, hasta la fecha, lleva acumulado un poquito más de 100 millones de euros. Lamentablemente, solo puede utilizarlo en pequeñas cantidades. Ese turbio montante está prácticamente congelado, si decidiese mover demasiado saltarían todas las alarmas. Realmente no le sirve de nada, es una estúpida cifra en un monitor..., ¿verdad?

Un tipo se acercó con su bebida.

—Gracias, es usted muy amable —comentó sonriente Matthew mientras olfateaba el vaso—. ¿Edmundo Dantes?, yo diría que de 25 años...

—Me impresiona usted, con ese aspecto de indigente ha conseguido pasar desapercibido bastante tiempo.

—¿He cometido algún fallo?

—Sí, ser demasiado emocional. En su profesión no puede permitirse ese tipo de cosas.

—Nunca debí enviarle dinero —dijo Matthew mientras daba un par de sorbos.

—Teníamos que empezar por algún lado. No se preocupe, hemos dejado que todo quede como está, el chico sigue viviendo con su madre y disfrutará de una vida en Nueva York si usted colabora; incluso podrá ir a una buena universidad con el dinero que usted les ha regalado.

—Bueno, al grano, ¿qué hay que piratear? ¿Debo entrar en el Pentágono? ¿Lanzar misiles nucleares?

—No diga tonterías, la guerra fría terminó hace ya unos años, ahora la guerra es energética. Nosotros trabajamos para una corporación con importantes empresas internacionales. La misión que debe usted llevar a cabo es muy sencilla: bloquear el avance chino en fusión nuclear. Quien domine la energía dominará el mundo futuro. Imagínese un país que sea autosuficiente y genere un soporte energético sin límites.

—¡Vaya con los chinos! —comentó irónicamente Matthew—. ¿Y ellos han conseguido ya la fusión nuclear? Energía limpia, constante. Si lo logran antes que ustedes se acabó el imperio occidental.

—No lo van a conseguir.

—Y ahí es donde es donde entro yo, ¿no?

—Sí, ahí es donde entra usted.

—Y ¿si no acepto? —preguntó casi sin ganas Matthew.

—No me haga perder el tiempo con amenazas banales. Un chico negro del Bronx tristemente atropellado por un coche, una madre con sobredosis, un profesor de buceo ahogado, una llamada a la Interpol para que investiguen ciertos desvíos de dinero del BCE durante estos últimos años o una bella canadiense ejerciendo de prostituta en Bangkok... digamos que tiene usted varias razones para ayudarnos.

—Visto así... me parece un buen trabajo, ya si me pagaran sería...

—Usted haga su trabajo y nosotros seremos generosos, siempre lo somos con quien apoya nuestros intereses y tiene talento. Y usted lo tiene, aunque mal enfocado.

El tipo aquel manejaba varios idiomas, aunque parecía filipino. Tenía esa tranquilidad que da el poder y esa mirada de quien ha matado antes y no tiene arrepentimientos.

—Dispone usted de un mes para introducirse en sus sistemas, acceder al cálculo de los potentes magnetos que sustentan en el vacío el elemento fusionable, desestabilizarlo y hacer que la gravedad consiga que el plasma a decenas de millones de grados impacte contra la estructura del reactor. Eso destruirá sus instalaciones y unas cuantas hectáreas a la redonda. Tardarán décadas en averiguar qué demonios ha ocurrido. Como ve, limpio, silencioso e indetectable.

—Si quiere puedo hacer que vuelvan a la edad de piedra —apuntó Matthew.

—No, no queremos tanto —le interrumpió el capitán—. Nadie puede saber que hemos entrado, todo debe parecer un accidente, un virus provocado por ellos mismos, por alguien interno al que puedan echar toda la culpa. Un pequeño fallo informático... de esos que ocurren todos los días.

—Nada de lo que ocurre en este mundo es fruto de la casualidad.

—La casualidad es la gente como nosotros. —El capitán sonrió—. De momento disfrute del viaje, mañana cogeremos un avión con destino a Francia, a nuestra central. Descanse y dese una ducha.

—¿Huelo mal? —preguntó Matthew olfateándose el sobaco.

—Ha sido un placer conocerlo, señor Ofiuco, Matthew. Espero que tenga usted una larga vida.

El tipo, tal y como había entrado, se marchó. Dio unas órdenes a sus hombres, sobre todo la de que no le dejaran acercarse a ningún móvil o portátil. Matthew sabía que le tenían miedo, como si los de muy arriba supieran perfectamente de quién se trataba. Durante la conversación la voz del capitán denotaba una cierta admiración. La admiración es un sentimiento más parecido a la envidia que la envidia misma.

2

LA SOMBRA DEL ITER

—¿Le gusta su habitación, señor...?

—Matthew, me puede llamar Matthew.

Aquella señorita japonesa era muy seria y atracti-va. Desde hacía varios días era como su sombra, pero apenas hablaba. Cada palabra parecía costarle un es-fuerzo inconmensurable. Matthew no se iba a esca-par, ¿para qué?, los argumentos del capitán del barco habían sido suficientemente razonables como para estarse quietecito. Eso sí, Matthew nunca había esta-do demasiado tiempo sometido, debía esperar su oportunidad. Pero también había aprendido que hay que estudiar bien al enemigo antes de abrir la defen-sa de peones. En una partida de ajedrez no gana el que más mueve, sino el más efectivo. Y ese siempre había sido él.

Le habían llevado en un *jet* privado hasta una zona del sur de Francia. Tamiko, la bella japonesa, le des-pertaba todas las mañanas a las 9 en punto, una hora algo irracional para ella, incapaz de comprender cómo alguien podía haber exigido despertarse cuando ya todo el mundo llevaba un par de horas trabajando. Le parecía una falta de respeto. Y ella odiaba la falta de

41

respeto más que otra cosa. Ya lo había aprendido cuando estudió en Harvard, donde sus compañeros iban de fiesta en fiesta y se saltaban las clases. En Japón sería una vergüenza para tu familia hacer cosas así. Echaba de menos también en ese sur de Francia un poco más de rectitud con los horarios, con los plazos. Tamiko siempre fue demasiado curiosa, demasiado ambiciosa, no le bastaba con lo que la vida le había dado en suerte y siempre quería más, más fuerza, más conocimiento, más poder. Por eso había traicionado todos sus principios, para formar parte de la gente más poderosa del mundo.

Los habitantes de la zona de Cadarache ya estaban acostumbrados al trasiego de ingenieros e informáticos, pues allí había tenido su sede durante muchos años un organismo que velaba por la seguridad de la energía nuclear. Pero ahora era diferente. Aquellas 150 hectáreas de terreno iban a albergar el futuro, el ITER.

Matthew, por supuesto, no se había integrado en ningún equipo de trabajo ni le dejarían hacer ningún movimiento solo. No se fiaban de él, y su currículum era suficientemente notable como para no hacerlo. Le estaban preparando una sala hermética, donde habían colocado un ordenador milimétricamente controlado para que no le entrasen ganas de hacer lo que mejor sabía. El sur de Francia era un buen lugar para perderse. Podría haberlo pensado antes, se dijo, quizá habría sido más fácil ocultarse allí que en aquella isla de nombre impronunciable en la que había estado todos esos años.

Su habitación tenía una gran terraza con unas vistas de ensueño dentro del castillo que ahora servía de cuartel general a la corporación. Tan solo le habían permitido tener una cadena de música, con plato, y le habían conseguido dos o tres vinilos de la época buena de Pink Floyd: *Meddle, Ummagumma* y *Wish you were here.* Y también varias botellas de ron y un flujo constante de limas. A cambio de no poder conectarse con nada susceptible de ser utilizado para desorganizar el mundo.

Todavía no sabía bien su cometido, tan solo le había dado tiempo a instalarse y ver cómo Tamiko lo perseguía a todos los sitios. Ahora iba a venir la diversión. Por fin, aquella mañana le iban a dejar ver su nuevo puesto de trabajo. Justo en el centro de la tormenta, el lugar donde se decidían los caminos del futuro de la humanidad.

—No se moleste, su tarjeta no está activa; de hecho, nunca lo estará —comentó Günter, el tipo austriaco, alto y elegante, que, a modo de Virgilio, le acompañaría en su bajada a los infiernos de lo que nadie mostraba del ITER—. Solo podrá acceder si Tamiko le habilita. No se fíe, Tamiko no es como nosotros, es de esas mujeres que pueden acabar con nuestra vida en un abrir y cerrar de ojos y no cambiaría el rictus de su cara.

—Bien, ahora me quedo mucho más tranquilo, ya podía haberme acompañado en algún bar que yo me sé de Nueva Jersey. —Sonrió Matthew.

—Me presentaré... Mi nombre es Günter Kleiber, soy el encargado, digamos, de que todo permanezca como está y ninguna información salga de aquí. Le voy a enseñar las instalaciones de nuestro cuartel general, y pronto le podré mostrar todos los avances que llevamos en la construcción paralela del ITER.

Imagino que no ha leído el dosier que dejamos en su mesilla...

—Demasiadas letras. —Matthew levantó las cejas—. ¿Debería haberlo hecho?

—No importa. Acompáñeme.

Varios hombres con cara de pocos amigos flanqueaban a Matthew y a Günter en la visita, seguidos a pocos pasos por la atenta mirada de la letal japonesa.

—Como usted sabe, señor Ofiuco, la naturaleza es como la vida, solo tenemos que observarla para darnos cuenta de que toda la información que necesitamos para ser inmortales está en las plantas, los animales o las estrellas. Todas las combinaciones ya las ha hecho Dios, o la tetera de Russell o como usted lo quiera llamar. ¿Cree usted que haya una raza superior a nosotros que fue la que depositó la semilla de la vida en nuestro planeta?

—Bueno...

—El escepticismo de la ignorancia siempre es atrevido, señor Ofiuco —añadió Günter sin esperar una respuesta inteligente por parte de su impertinente invitado—. Puede observar que estamos ante un centro privado, paralelo al ITER, donde controlamos las comunicaciones de casi todo el mundo.

—¿Espionaje?

—Eso está pasado de moda, el espionaje es de países pobres, nosotros lo llamamos: «Control».

—Es un bonito eufemismo, siempre que repartan el dinero de los ricos a los pobres. —Matthew intentó gastar una broma que no surtió ningún efecto.

—Voy a mostrarle el mayor proyecto que el ser humano ha realizado en cientos de años, solo comparable a la invención de la electricidad, el descubrimiento de América o la caída del Imperio Romano. Algo que cambiará el mundo y la relación del hombre con el medio, algo que hará posible la conquista de las estrellas en un futuro no muy lejano. ¿Conoce usted la fusión nuclear?

—Algo he leído... sin residuos, potente, eterna. Dicen algunos gurús que traería la paz mundial. Fuera de juego el petróleo, los fósiles, el gas..., pero imagino que no estamos aquí para eso, ¿no?

—¿Para qué?

—Para traer la paz al mundo.

—No. —Sonrió levemente Günter—. La paz no es más que la preparación de la guerra.

—¿Lao Tse?

—Julio César, «Si vis pacem, para bellum». Aquí tenemos los ordenadores centrales, conectados en todo momento con el Pentágono, el Kremlin, Londres...

—Nunca pensé que se pusieran de acuerdo —comentó Matthew imaginando lo que podría hacer con toda esa capacidad de procesamiento dedicada a *hackear* el mundo.

—Ahora hay una nueva potencia, China, y nos está tomando la delantera en esta carrera.

—¿Han conseguido la fusión?

—Nadie lo ha conseguido todavía... bueno, sí, pero a muy pequeña escala. Como le decía, la naturaleza nos ha enseñado a los humanos lo fácil que es romper, destruir, disgregar; pero aún no hemos aprendido la mejor lección: unir. Con los átomos es lo mismo. Un litro de agua podría contener más energía de la que un humano necesitaría a lo largo de toda su vida para comer, calentarse, enfriarse... Podríamos hacer un pequeño sol en la Tierra. La energía que mantiene a las estrellas en ignición. ¿Se imagina un sistema que multiplique con un factor diez la energía de entrada? De cada 10 megavatios podríamos obtener 100, y así siga multiplicando.

—Bien administrado podría borrar de un plumazo el hambre del mundo.

—Sí, borrar el hambre, quitar la necesidad... pero el tema es, ¿quién maneja esa energía? ¿No pensaría usted que la íbamos a regalar? La unión de átomos desprende una energía infinitamente mayor que la ruptura atómica del uranio, por ejemplo, y no genera residuos de los que nadie quiere hacerse cargo.

Entraron en una pequeña sala con unos electroimanes de medio metro, dispuestos en círculo rodeando un cilindro. Varias personas caminaban de un lado a otro con prisas, anotando en sus agendas electrónicas las pequeñas variaciones que iban mostrando los programas de medición.

—Esto es, a pequeña escala, lo que estamos construyendo. Unos electroimanes que aíslen el plasma de las paredes del reactor para evitar el calor que va a producir la fusión atómica.

—¿Ya no necesitan uranio? —preguntó Matthew observando algunos terminales y mirando de reojo a Tamiko, que negó una sola vez con la cabeza.

—Como le digo —prosiguió Günter—, se terminó la época de la contaminación del petróleo y los residuos del uranio. La fisión es cosa del pasado. A partir de ahora trabajaremos con deuterio y tritio, los átomos de estos elementos serán nuestro campo de batalla. Elementos que podemos extraer del agua o que flotan en la corteza terrestre. Y de todo el proceso solo se genera un poco de helio residual, un gas inocuo. Como ve, es el futuro.

—Lo que no entiendo, Günter, es qué pinto yo en todo esto, si ustedes lo tienen tan claro y ya lo van a construir. En el dosier de mi dormitorio he visto también una bandera China... A ver, Europa, Estados Unidos, Rusia, Japón, China... ¿juntos haciendo algo para el bien de la humanidad? Un poco difícil de creer, ¿no le parece?

—Digamos que nuestra corporación trabaja en paralelo al ITER, en la sombra. Ya le digo que somos el «Control».

—Ya. —Matthew sonrió—. El «Control» sin China, entiendo...

—China pensó que podría apostar a dos caballos ganadores: ayudar a financiar nuestro proyecto mientras generaba el suyo propio.

—Y les han ganado el partido...

—Digamos que van ganando. Pero usted sabe que las batallas no ganan guerras —respondió Günter antes de susurrarle algo a uno de sus hombres.

Bajaron de nivel y llegaron al corazón oculto de la central, una planta de acceso restringido donde la mitad de los hombres tuvieron que quedarse fuera. Tan solo Tamiko y Günter parecían contar con la venia de esa máquina de control ocular. Colocaron los ojos a la altura del escáner y una cuadrícula azul les hizo el examen.

—Esta es la zona que no conocen ni los gobiernos. La zona real de investigación. El lugar donde todo *hacker* hubiese soñado estar algún día. Lo que aquí sucede es el mayor de los secretos y no podemos dejar que nadie husmee.

—¿Armas? —dijo Matthew mientras observaba una sala donde varios soldados probaban extraños prototipos. Lamentablemente, no le sorprendía que también fabricaran armas.

—Como comprenderá, la paz no es muy rentable para los hombres a los que represento. Hay que comer.

—Entiendo —dijo Matthew con un mal gesto.

—Desde el desastre de Fukushima nadie confía en la energía nuclear. Si no tenemos mundo que compre nuestra energía no podremos ganar dinero. Nuestro sistema de fusión no tiene fallos de funcionamiento ni contaminación.

—¿Y si todo falla? —comentó Matthew mientras intentaba descolgar lo que parecía un martillo neumático.

—No juegue con eso, señor Ofiuco, podríamos salir todos volando si lo utiliza mal. Este sistema no falla, no puede fallar —prosiguió Günter—. Imagínese un gran microondas que se apaga solo cuando no hay función. Estamos hablando de unas temperaturas de 100 millones de grados centígrados, un infierno parecido al del centro del sol. Ese es el gran escollo que tiene nuestro proyecto: cómo proteger las paredes del reactor que deben soportar tal cantidad de calor. Para eso tenemos que construir unos electroimanes de un tamaño considerable. Nada que conozcamos hasta ahora puede soportar tanto calor más de unos segundos. Imagínese, un ser humano que hasta ahora no ha hecho más que romper todo lo que la naturaleza ha diseñado, que sea capaz de unir, de construir, de unificar átomos...

—Está bien, Günter —le interrumpió Matthew—. Yo sé que a usted estas cosas le entusiasman, pero yo no fui a clase de química y todo esto se me queda un poco... En fin, ¿no creen que se han equivocado de persona?

—Toda esta información es cortesía de mis superiores, señor Ofiuco, es para que usted sepa que nosotros somos los buenos.

—¿Pero esto del capitalismo no era solo de ricos y pobres?

—Entiendo que es usted un provocador y que no le da a su vida suficiente valor. Entiendo que ustedes los... *hippies,* o como bien quiera usted denominarse, no piensan más que en ustedes mismos, pero si nosotros, para usted, somos malos, analice la última política China y tendrá su respuesta.

—Bueno, resumiendo... que tengo que introducirme en el sistema más encriptado del gobierno chino, destruir el proyecto más importante que tienen ahora entre manos, que les podría situar sin discusiones como primera y única potencia mundial, y echarle la culpa a un pobre ingeniero informático de Pekín, al que le van a romper los dientes. Y eso les dará a ustedes la ventaja suficiente para ser la primera potencia del planeta, ¿no?

—Más o menos.

—Y, ¿yo me llevo...? —Matthew dejó una pequeña pausa para que Günter hiciera un cálculo matemático básico, con un par de millones de dólares libres de impuestos o así.

—Nuestra corporación es generosa con quien nos sirve bien. De momento usted no está en la cárcel, como le prometimos. Puede verlo así, puede usted seguir siendo un indigente que roba enormes cantidades de dinero que no puede utilizar más que en pequeñas dosis, y se siente rey por un día, o puede ayudar a generar el cambio de era. Entiendo que usted elija lo primero, y tampoco espero que su inteligencia política le haga entender el sistema. Ahora debo dejarle en compañía de Tamiko. Espero que haya disfrutado del paseo.

Matthew sabía desde el primer momento que a Günter no le caía bien. Le solía pasar con los estirados, esa gente que siempre se había criado entre algodones y no soportaba que alguien se saliera de sus esquemas. Matthew nunca había tenido esquemas. No conoció a sus padres y se pasó de reformatorio en reformatorio toda su adolescencia, hasta que le condenaron por pirata informático. De su infancia apenas tenía recuerdos, era como una nebulosa que no conseguía esclarecer, como si nunca hubiera existido hasta no ser consciente de él mismo, hasta la primera pelea en algún reformatorio de mala muerte. Casi ni recordaba cuál había sido el primero. Solo sabía que la policía le había detenido vagando por las calles de Nueva York y que no recordaba su nombre. Él siempre se imaginó una familia problemática, de padre alcohólico, maltratos... aunque también fantaseaba con que sus padres hubieran sido víctimas de un asesinato o de un accidente de coche y él hubiera salido despedido por el impacto y hubiera perdido la consciencia y la memoria. Los reformatorios no eran tan malos, bueno, el primero sí, pero los que vinieron después fueron lo más parecido a un hogar que había tenido. Lejos de esos pijos que habían querido adoptarle y ponerle ropa de niño bien y enseñarle a ponerse recto en la mesa. Nunca duraba más de dos o tres semanas en cada casa de acogida, los padres lo devolvían como si de un perro se tratara. Y él sonreía, intentaba estudiarlos y atacarlos en las cuestiones más personales, más débiles, para volver con sus compañeros. Con sus compañeros se sentía bien, en su lugar, situado en algún lado, en un nicho, notaba que pertenecía a un sitio. Desde muy niño le habían llamado la atención los ordenadores. Cuando llevaron uno a la escuela fue como una droga para él, y los profesores, desesperados ya por que los chavales encontraran alguna salida más válida que las drogas y la calle al cumplir los dieciocho años, le dejaban jugar todas las horas que quisiera a cambio de buen comportamiento. Incluso un profesor voluntario, un tipo que estudiaba informática, pero que quería hacer buenas labores sociales, se quedaba algunas horas extra para enseñarle cosas que nadie podía enseñar. Era un aficionado al pirateo a pequeña escala, pequeños chanchullos como abrir la seguridad de un parque de atracciones o los archivos de las productoras de cine para robar fotos de sus actrices favoritas, que luego vendía o regalaba a sus amigos. Fue lo más parecido a un padre que tuvo. De él aprendió a utilizar la programación para cambiar el mundo, para hacer el bien. Siempre le decía que imaginase un mundo igual para todos, y Matthew, que por entonces respondía a otro nombre que apenas ahora recordaba, le miraba con admiración. Un día no volvió, le dijeron que había encontrado un trabajo en Boston y había tenido que salir sin apenas hacer las maletas. Matthew pensó que se habría olvidado de él, hasta que meses después le escribió un correo electrónico. Fue él, Víctor, el que le llamó por primera vez Ofiuco.

Matthew se había formado en las calles. Cuando salió del último reformatorio no tenía más que una mochila, unos pocos dólares y una ciudad entera a sus pies. Lo primero que hizo fue comprar un pequeño ordenador de segunda mano y comenzar a trabajar en el estudio de las matemáticas y la programación. Era superdotado para las computadoras, el Nikola Tesla de los chips, como le decía la psicóloga del centro de rehabilitación social. Estaba enganchado y no podía vivir sin tener un ordenador cerca. A otros les daba por el sexo, por la comida... Nada es peor que nada. Ahora, el comportamiento de Günter y el desprecio con que lo había tratado, habían hecho renacer en su corazón ese impulso que siempre le había levantado del sofá: la venganza. Sabía que su venganza sería fría, lenta, inesperada, pero segura.

Tamiko le acompañó a su nuevo puesto de trabajo. Era una sala completamente vigilada, hermética, donde descansaba un ordenador sobre una mesa central. Un flexo y unos papeles con varios bolígrafos de colores. Dos tipos con cara de pocos amigos custodiaban la puerta. La distante japonesa se sentaba justo a su lado y supervisaba todo apuntándolo en su libreta. Un sitio lleno de libertad y confianza.

* * *

Los primeros días pasaron rápido. Adecuarse a los nuevos sistemas de seguridad, vigilarlos y observar sus comportamientos eran los pasos previos y requerían desenvolverse con mucha delicadeza. Cualquier movimiento antes tiempo podría poner en marcha las alarmas fantasma y cambiarían todas las claves de acceso, que se autogeneraban cada dos horas. Eso Matthew lo había aprendido bien en los tiempos de la Bolsa: la paciencia, la espera, la tranquilidad.

Los compañeros ingenieros e informáticos que trabajaban en las salas de al lado lo miraban por encima del hombro. Ellos sabían quién era Ofiuco, uno de los mayores *hackers* de la historia, y odiaban a ese tipo de gente que maltrataba la profesión haciéndoles parecer a todos piratas sin escrúpulos. Matthew pensaba justamente lo contrario, que aquellos que poseen un don y no lo utilizan para hacer más justo el sistema realmente son parte del problema.

En la hora de la comida nadie se le acercaba, en el comedor solo permanecía vacía la mesa de Ofiuco, como le llamaban todos. A decir verdad, vacía del todo no estaba porque la joven Tamiko se sentaba justo enfrente de Matthew y apuraba su escueta cantidad de comida.

—¿No te cansas de tanto sushi? —preguntó un día Matthew a Tamiko—. Venga, contéstame, joder, aquí no hablo con nadie. Mira... tú me sonríes, me miras a los ojos como si yo fuera tu compañero de trabajo preferido y me preguntas por la familia. Tampoco es tan difícil, que me vais a volver loco.

—El sushi no siempre es el mismo —respondió Tamiko después de unos segundos—. Tú lo ves igual porque no te detienes a mirar las diferencias. Ellos te tienen miedo.

—Pues bien, Tamiko, mira... —Matthew hizo que sacaba la cartera y enseñaba una foto ficticia—. Esta es la pequeña, Sarah, que tiene unos ocho años. Sí, está adaptándose a esto de Francia, pero como aquí no hay béisbol ni hamburguesas le cuesta. —Toqueteó la comida—. Esto del brócoli, las salsas y la mantequilla le cuesta un poco. Y luego, mi mujer... ¿Elisabeth?, ¿te gusta Elisabeth?... Yo siempre quise que mi mujer se llamase Elisabeth, es un nombre como muy señorial, parece una reina o algo así. Pues mi mujer me pone los cuernos con Günter, sí, los he pillado haciendo el cerdito en el despacho del jodido austriaco. Estaban disfrazados de Elvis y Marilyn.

Tamiko no pudo contener una pequeña sonrisa esta vez. Luego miró hacia los lados, preocupada por si alguien la había visto, y siguió comiendo con los ojos bajos.

—¿Ves? —continuó Matthew—. Eres humana, ¡lo sabía! Ya pensaba que eras un robot prediseñado. —Se puso a imitar la voz y los movimientos de un robot con el tenedor en la mano a modo de antena—. Ho-la-soy-Ta-mi-ko, una japonesa que está muy buena pero que no tiene corazón; bueno, sí lo tiene, pero es de metal y nada le conmueve.

Esta vez Tamiko controló su sonrisa, pero sus ojos se humedecieron y miró rápida, fugazmente, a los de Matthew mientras hacía su espectáculo.

* * *

El ambiente de trabajo era cada día más insoportable. Günter le miraba por encima del hombro, como aceptando la presencia de Matthew por obedecer a una orden superior, no por conformidad. Nunca le gustaron esos rebeldes que no atendían a ninguna norma, los llamaba anarquistas, gente sin posible reinserción en el sistema. Había protestado airadamente cuando trajeron a Ofiuco, pues algo le decía que no era una buena idea. Una intuición que le despertaba por las noches y le hacía revisar las grabaciones diarias de la sala donde trabajaba Matthew. Sabía que su aspecto no correspondía con su inteligencia, no se puede meter un zorro en un gallinero y esperar que no pase nada. Cuando oliese la sangre ya no habría vuelta atrás. Además, su manera caótica de programar se enfrentaba diametralmente con el milimétrico orden del austriaco. En su despacho todo estaba colocado, los papeles, los bolígrafos, las fotos. Al entrar y al salir echaba un último vistazo y lo volvía a dejar todo en su sitio. Por algo había sido investido doctor *honoris causa* por el Instituto Tecnológico de Massachusetts.

Los compañeros de Matthew, por llamarlos de alguna manera, seguían igual, sin hablarle, mirándole por encima del hombro y desconfiados. Todos cambiaban diariamente las claves de sus terminales, del acceso al correo electrónico, cada vez más encriptadas, cada vez más enrevesadas. Se sentían amenazados constantemente por aquel *hippy* de barba revuelta y melena despeinada.

Tamiko hablaba de vez en cuando, incluso una vez fue al baño y dejó 3 minutos 34 segundos solo a Matthew, bueno, con aquellos dos gorilas que le miraban desde la puerta. En 2 minutos ya había conseguido desencriptar las claves de Günter y ver sus cuentas bancarias, las legales y las ocultas en Suiza, había seguido su rastro de Internet y sabía todas las páginas que había visitado en las últimas semanas. Todos tenemos trapos sucios, eso Matthew lo sabía bien... Los gustos sexuales, el dinero, el poder, alguna falsificación... Todos tenemos algo que ocultar. La siguiente vez que Tamiko le dejó solo de nuevo, 2 minutos y 45 segundos sirvieron para que Ofiuco desarrollara el plan que había diseñado varias veces a lápiz en su habitación. Había elegido un troyano nuevo, algo de color, novedoso, y lo había alojado en el disco duro central del que era esclavo el terminal de Günter. Había descubierto que al tipo duro le pagaban, desde varias corporaciones, comisiones en negro. Parecía ser un espía tecnológico de varios países. Era normal, el ITER estaba siendo construido entre casi 34 países y había demasiadas cosas en juego. Günter, simplemente, estaba aprovechando su posición privilegiada para tener a todos comiendo de la palma de su mano. El troyano actuaría activándolo desde cualquier lugar del mundo, solo había que escribir la clave en un pequeño programa fantasma que había alojado en una web gratuita. La contraseña no podía ser otra: «Idiota». A Matthew le encantaban ese tipo de juegos y que luego apareciera una calavera con una gran sonrisa bloqueando el ordenador. El troyano se encargaría de enviar toda la información bancaria de Günter a *Le Monde Diplomatique*, el *New York Herald*, el *Times*, el *Washington Post*... A todos el mismo día a la misma hora y, por supuesto, bloquearía todas las cuentas para que Günter no pudiera sacar ni un euro. Así eran las venganzas de Matthew, el mítico y temido Ofiuco. Al final iban a tener razón sus compañeros e iba a ser mejor no cruzarse en su camino. Pero la venganza es un plato frío y debía esperar, sabía que el punto de conflicto entre ellos dos llegaría tarde o temprano, y justo en ese preciso momento actuaría y acabaría con él. Matthew no sabía bien quién comandaba aquella misteriosa corporación del castillo de Cadarache, pero seguro que les iba a encantar comprobar cómo su «encargado» era un perro con dos correas.

Los dos despistes de Tamiko sirvieron para que Matthew visitara su «Fuente de los Secretos», así la había bautizado en honor al disco de Pink Floyd. Era un almacén de datos que había alojado en una zona inexistente de la red, un lugar que nadie podría rastrear. Durante años había generado miles de virus, de logaritmos de entrada, claves que abrían otras claves, programas que fagocitaban otros programas. Los había alojado allí por si algún día no tenía tiempo para programar y se veía obligado a hacer algo con prisa. El tiempo suele ser el mayor enemigo de los *hackers*, el tiempo que tardas en entrar y en ser cazado. Y un poco de ayuda nunca venía mal. Allí tenía depositadas casi todas sus grandes victorias: la entrada al Pentágono todavía intacta, las claves encriptadas de diversos bancos y periódicos, las claves de algunos cuerpos de seguridad de diferentes países y la reserva interna de billetes de varias compañías aéreas.

El plazo no era demasiado amplio, debía *hackear* a los chinos en un mes. Según la información que había conseguido sacar ya del proyecto, la fusión china estaba en un estado muy avanzado. A Matthew le provocaba risa todo aquello: la política hace extraños compañeros de cama, como dijo alguien, y era irónico ver a los ingenieros de tantas nacionalidades intentar ponerse de acuerdo en el trabajo, en el ITER, mientras sus países se despedazaban unos a otros bajo cuerda, a tan solo unos kilómetros de distancia. En menos de una semana había conseguido las claves de un programador chino que trabajaba supervisando la construcción de los electroimanes en una planta secreta cerca de la zona Aksa Chin, uno de los lugares más misteriosos del planeta, centro de avistamiento de ovnis que, al parecer, era un campo de pruebas de armas secretas desde los tiempos de Mao. El hombre parecía un funcionario más, no muy cuidadoso con la seguridad, demasiado confiado con la superestructura que sus superiores creían infranqueable. Matthew se movía por los archivos como una sombra informática. Era como caminar entre globos con unos zapatos de alfileres, cualquier pequeño movimiento y saltarían las alarmas. Y si saltaban las alarmas no tardarían demasiado en encontrarle. Y eso sería el final, cerrarían cualquier contacto de Intranet y se acabaría la historia. Ahora sabía por qué la corporación había recurrido al mejor. Y ese era él. Además, había descubierto pequeñas filtraciones desde el ITER. Tenían un topo y era bueno. Sería alguno de esos compañeros que tanto le daban la espalda. Pero si ese topo sabía que Ofiuco estaba en el castillo, ¿por qué no había hecho nada? ¿Quién podía ser tan bueno como para pasar los controles de la corporación que se autodenominaba «Control»? Debía estar seguro de que eran filtraciones, cerciorarse bien, quizá no hubiera ninguna rata y se tratara de flujos normales de información.

* * *

—Tamiko, ¿conoces a todos los que trabajan aquí? —preguntó Matthew mientras ponía música en YouTube.

—A todos no, pero puedo preparar un informe.

—Pues... no estaría mal —dijo Matthew. Estaba de pie, jugando con un bolígrafo que hacía girar entre sus dedos—. Puede ser que tengamos un topo, una rata dentro del barco.

—Eso es imposible —respondió Tamiko muy segura—. Hay un control exhaustivo de todo el flujo de información. Cada día se cambian todas las claves, cada persona solo tiene acceso a un bloque pequeño de información de todo el proyecto. Un bloque mínimo con el que no se puede hacer nada.

—Te sorprendería lo que puedo hacer yo con un bloque mínimo de información. Deberíais consultar el pasado de todos los trabajadores del castillo y su relación con la gente que trabaja dentro del ITER.

—Lo haremos —dijo Tamiko apuntando todo en su libreta electrónica—. ¿Qué has encontrado?

—Nada... aún, una sombra, un hueco donde parece no haber nada.

—No te entiendo.

—¿Vosotros los japoneses no creéis en estas cosas?

—¿Qué cosas?

—Los pálpitos, esos lugares por donde pasas y se te eriza el bello del cogote, esas habitaciones donde no puedes dormir... —Sonrió. Se sentía como si estuviera explicando la fe a un ateo—. Los *hackers* tenemos una teoría: si cuando pasas por un lugar sientes vacío es que hay algo. En la red no hay nada vacío, todo está lleno de flujo, de interconexiones, corrientes de información que pasan de un lado a otro... Constante, rápido, matemático, casi incontrolable. ¿Has estado alguna vez en un lago? —Tamiko afirmó con la cabeza—. Un remanso de agua que no se mueve, que no desemboca en ningún lado aparentemente y que parece no ser una amenaza.

—Sí —respondió la japonesa—. Un lago.

—Pues en Internet no hay lagos. No hay agua estancada. No sé si me explico. —Matthew comenzó a garabatear en unos folios, más para explicárselo a él mismo que a Tamiko—. Si cogemos un bloque de información y la borramos, esa información automáticamente deja espacio a otro bloque de información, ¿no?

—Aunque también deja una huella —apuntó Tamiko.

—Deja una huella. —Matthew siguió pensando en voz alta—. Una huella que se puede rastrear.

—Y que también se puede... ¿borrar?

—Si eres bueno sí, pero hay que ser más listo que el cazador. Si borras las huellas queda un espacio vacío, y un espacio vacío es un lago, agua estancada que fluye de algún lugar, de algo subterráneo, o de la lluvia.

—No te sigo. —La joven negaba con la cabeza.

—Sí, no hace falta... estoy pensando en voz alta. Si borras todas las huellas debemos depositar huellas nuevas, que fluyan, que hagan pensar que hay corriente. ¡Eso es!

—¿Tienes al topo?

—No, tengo la trampa para el topo.

3

NADA ES LO QUE PARECE

Las mañanas en Cadarache tenían ese color que tiene el sur de Francia, una claridad que daña los ojos y te hace querer relajarte y tomar queso apestoso y pasear pensando que la vida es maravillosa. Matthew pensó, desde su pequeño balcón que daba a unos viñedos cercanos, que podría retirarse y vivir allí. Ser anciano, con niños correteando a su alrededor, una mujer que le quisiera y montar su propia bodega, fabricar vinos con boina y escuchando la marsellesa tocada desde un pequeño acordeón. La verdad es que era un buen pensamiento mañanero. Se estiró, bostezó y volvió a la realidad.

Llevaba varios días intentando crear un pequeño programa de búsqueda, una trampa para el topo, pero había algo que le olía mal. Miradas, respiraciones, debía repasar de memoria a todas las personas con las que se había cruzado en las últimas semanas. No sabía muy bien por qué se le erizaba el bello del cogote, siempre le pasaba cuando tenía una intuición. Y sus intuiciones nunca fallaban, quizá algunas veces no llegaban a tiempo, pero no fallaban. Sentía que alguien, algo, no encajaba en aquel lugar. Una camisa, un pañuelo, un peinado, algo le había llamado la atención, tal vez en el subconsciente, pero no lo había registrado.

Demasiado tiempo relajándose en aquella isla y mirando la suave curva del vientre de Chantall, su atractiva vecina, le había adormecido los reflejos.

* * *

—Tamiko, ¿cuánto tiempo guardáis las imágenes de las cámaras de seguridad? —preguntó Matthew dando golpecitos con los dedos en la taza de café.

—No sé, una semana... espera —Tamiko accedió a los archivos de seguridad desde su tableta—. Una semana.

—Bien, da la orden de que no lo borren. Vamos a ir al cine.

* * *

Tamiko le llevó hasta la oficina de seguridad donde se guardaban las grabaciones. Los agentes no parecían demasiado profesionales. Uno leía el periódico con los pies encima de la mesa de control y el otro jugaba con una pequeña consola de videojuegos.

—¿Pokemon? —le preguntó Matthew. Al hombre, del susto, se le cayó la máquina al suelo—. ¿Así que este el centro de seguridad y vigilancia de uno de los complejos más tecnológicos del mundo?

Los dos guardias se pusieron firmes al ver a Tamiko, que les miraba con recelo, pensando que se habrían quedado sin trabajo.

—¿Es así como realizan la vigilancia del centro? —preguntó la japonesa.

—Mire —respondió tartamudeando uno de ellos, el del periódico—. Acabamos de incorporarnos, estamos poniendo las grabaciones en marcha...

—¿Cuándo empiezan ustedes el turno? —preguntó Matthew interrumpiéndola.

—A las 9, cuando salen los compañeros del turno de noche.

—¿Y cuánto tiempo tardan en cambiar el puesto?

—Nada —respondió el de la consola—. Nosotros llegamos y ellos se van.

—¿No hablan? ¿No se dan los buenos días? —prosiguió Matthew.

—Sí, bueno... claro... ¿por qué hace esa pregunta?

—Ha estado aquí.

Matthew hizo una señal a todos para que nadie hiciera ningún sonido, ningún ruido, para que contuvieran la respiración. Cerró los ojos y comenzó a escuchar. Los dos tipos se miraban como si Matthew estuviera loco, y Tamiko le observaba con atención. Giró la cabeza hacia un lado y luego hacia el otro. Dio dos pasos hacia su derecha, hacia uno de los armarios, y colocó las manos sobre él como si pretendiera captar una vibración.

—¡Ayúdenme!

Los dos tipos corrieron con cuidado el armario y Matthew guiñó el ojo a Tamiko. Detrás del mueble todo parecía normal: una ristra de cables, perfectamente colocados sobre el rodapié, milimétricamente dispuestos, ordenados. Matthew se agachó, los tocó con la yema de sus dedos y se levantó sonriente.

—Nada, no es nada. Pueden volver a poner el mueble en su sitio.

Los tipos no entendían nada de lo que hacía aquel personaje tan extraño que les había interrumpido el desayuno y la lectura del periódico. Matthew le pidió la consola al jugón.

—¿Me permite? —le preguntó. El guardia de seguridad afirmó con un movimiento de hombros y le dio el aparato—. Si ejecutamos esta secuencia de pulsaciones con los mandos y reseteamos la aplicación... ¡Ya está! ¿Vidas infinitas? ¿Pantallas infinitas?

—Sí, claro —respondió con la boca abierta el guardia.

—Pues... ya está. —Y Matthew le devolvió la máquina después de apretar las teclas varias veces.

Los tipos se quedaron un poco extrañados con todo aquello. Tamiko los miró una última vez de una manera muy explícita y ellos metieron barriga, estiraron sus hombros y se pusieron a hacer que vigilaban las cámaras. Sabían que aquella japonesa era implacable y que, lo más seguro, esa era su última jornada de trabajo en aquel lugar. Al cerrar la puerta, Matthew le hizo una seña a la japonesa para que no dijera nada y dejase las cosas como estaban, y le indicó que siguieran caminando por el pasillo hacia la calle lo más sonrientes posible.

—¿Qué pasa?

—¿Me puedo fiar de ti? —le preguntó Matthew.

—¡Cómo qué...! —exclamó indignada—. ¿Y yo de ti?

—Bueno —sonrió el *hacker*—, ahí tienes razón. ¿Te has fijado en los cables?

—Sí, ¿qué?, ¿has visto algo?

—Han sido manipulados. Hay diez servidores y once cables.

—¿Once? ¿Y hacia dónde va el undécimo?

—¿Hacia el topo? —Matthew pensaba en voz alta—. La pregunta es: ¿para qué quiere el topo tener las grabaciones de seguridad?

—¿Estás seguro? No sé..., para manipularlas, imagino, pero ¿puede hacerlo desde el exterior?

—¿Cuántos agentes de seguridad hay?

—Ese fue uno de los grandes problemas de nuestra instalación aquí. El alcalde nos exigió dar puestos de trabajo a la gente del pueblo y algunos de ellos son los vigilantes de seguridad, personal de limpieza, etc. Pero no tienen acceso a nada importante. Las cámaras solo vigilan las entradas al recinto y los exteriores. Los lugares «importantes» están vigilados por nuestra gente.

—Nuestra gente —Matthew sonrió—. Pero piensa como una rata; si tuvieras que entrar a uno de los sitios más encriptados del planeta Tierra y tuvieras que pasar desapercibido, ¿qué harías?

—No sé, desde luego no me haría guardia de seguridad. Son los primeros de los que sospecharíamos.

—No, claro, ¿personal de limpieza y mantenimiento? ¿Los tienes ahí?

—Sí, tengo todas las fichas del complejo.

Tamiko abrió las fichas de los trabajadores de limpieza en su tableta y los fue pasado uno a uno. Los dos se sentaron en uno de los bancos de madera, vigilados, por supuesto, por la atenta mirada de dos gorilas vestidos de negro que los observaban desde cierta distancia. Contemplaron todos los rostros, todas las miradas, examinaron todos los nombres, a ver si se activaba algo, la famosa intuición. Pero nada, caras y caras sin nada reseñable. Entonces Tamiko se detuvo unos instantes y se mordió el labio.

—¿Qué? —preguntó Matthew.

—No sé, estamos buscando un hombre, ¿no? ¿Por qué? ¿Y una mujer?

—Sí, ¿por qué no?, la verdad es que siempre le había puesto cara de hombre.

—El machismo.

—Sí, será eso.

Volvieron a pasar una a una, más despacio, las fichas. Hombres y mujeres a la misma velocidad, deteniéndose en cualquier pequeño detalle que les hiciese sospechar. Pero nada, nadie parecía esconder a un misterioso espía internacional, más bien recordaba a una feria de personas anodinas, tranquilas, felices, como un casting hecho para no sobresalir.

—Bien... —Matthew pensaba en voz alta—. De todas las personas que hemos visto, ¿quién es la que menos te llama la atención?

—¿No te estarás volviendo loco con todo esto, Matthew? ¿Seguro que no perseguimos a un fantasma?

—Ya, cree el ladrón que todos son de su condición, ¿no? —Sonrió—. Sí, puedes tener razón, si quieres lo dejo estar. Hacemos como que no pasa nada y pensamos que esas pequeñas filtraciones se deben a un error informático o que son fruto de la casualidad.

—No digo eso, solo que a lo mejor no estamos buscando en la dirección adecuada.

—Puede ser. —Matthew suspiró—. Puede ser... Solo pienso en lo que yo haría si fuera él... o ella. ¿Te importa que vuelva a mirar las fichas?

—No, mira.

Matthew hizo el ademán de pedirle el Ipad y Tamiko le respondió con una sonrisa. Ni un solo segundo iba a dejar a Matthew con un cacharro informático. Sería ella quien lo manipulara.

De nuevo fueron pasando las fichas, sin prisa, incluso Matthew imitaba haciendo burlas a alguna de las fotos y nombres. La mayoría parecían limpios. De pronto, cuando ya habían pasado una docena de nombres, le volvió la intuición.

—Vuelve a Marie Geneviève Surrien, la gordita que parece una tierna madre de familia francesa. —Tamiko sacó su ficha—. Mira, tan perfecta, la foto de estudio cutre con fondo azul, la camisa perfectamente desacompasada con el resto de la ropa, el peinado pasado de moda, los pendientes baratos, las gafas de los noventa... Jamás te fijarías en ella.

—Matthew, estás desvariando —comentó Tamiko mirando la ficha de Marie Geneviève.

—¿Puedo salir? —Matthew levantó los hombros—. Si me acompañas tú, esos dos gorilas pasarán de nosotros. Podemos dar una vuelta por el pueblo, ir a su casa, que nos dé un trozo de tarta y hablar con ella de sus hijos, ¿no?

—Puedo preguntar a Günter. Estás completamente loco.

* * *

Un rato más tarde salieron del complejo con un Audi con los cristales tintados hacia la dirección donde se suponía que residía Marie Geneviève. Matthew miraba por la ventana disfrutando, hacía semanas que no salía del complejo y era la primera sensación de libertad en mucho tiempo. Bajó un palmo la ventanilla y se asomó ligeramente para que la brisa le golpeara en el rostro. Las vistas del río Durance eran maravillosas, así como el embalse y el canal. Un lugar muy rural, muy adecuado para la tranquilidad del ITER y del complejo creado en paralelo para la fusión nuclear.

Llegaron al Boulevard de la Mirabelle, en Saint-Paul-les-Durance, el hogar de la anodina empleada Marie Geneviève. La dirección correspondía a una casa de campo, con un pequeño jardín con enanos blancos torpemente dispuestos, unos columpios algo oxidados y útiles agrícolas apilados sin orden. La gente del pueblo no se alarmaba al ver un coche de alta gama, en aquella zona con todos esos centros de investigación era normal cruzarse con ese tipo de vehículos. Llamaron un par de veces al timbre y nadie contestó. El vecino de enfrente detuvo su furgoneta cargada de sacos de arpillera y se bajó a hablar con ellos.

—¿Buscan a los Surrien? —comentó—. Hace tiempo que no vive nadie ahí, hace unos meses que se fueron y nada... ¿Son de la policía?

—No, ¿por qué íbamos a ser de la policía? —preguntó Matthew.

—No, como él la pegaba tanto, quizá, pensé... Bueno, si va a entrar me encantaría entrar con ustedes, que le dejé la máquina de cortar el césped y ya la daba por perdida. Pensé que eran de la policía.

—Y ¿cuánto tiempo hace que no vive nadie aquí? —preguntó Tamiko al vecino.

—Pues no sabría decirle, mire usted... seis meses, ocho, no sé. Como yo tengo que viajar con el camión de un lado para otro, pues no me quedo mucho con eso del tiempo.

—¿Y los hijos? —preguntó Matthew.

—¿Los hijos? —Se quitó la boina un tanto contrariado, con un mal gesto—. ¿No lo saben? Los hijos fueron los que... hace un año... Pobre gente, un accidente de tráfico muy sonado, acabaron en el río y tuvieron que sacarlos con unas grúas y unos buzos. Que no les dio tiempo ni a quitarse el cinturón. Bueno, lo dicho, si van a entrar en estos días me lo dicen y me dan la máquina. Pobre gente, sí, pobre gente.

El vecino se despidió amablemente desde su furgoneta y se marchó. Matthew levantó las cejas a los gorilas. Miraron alrededor para ver si alguien podía estar observando y cuando se aseguraron de que nadie los miraba rompieron el candado con un cortafríos que llevaban en el coche. El jardín estaba impecablemente descuidado, todo perfectamente descolocado, pero en un orden lógico de alguien que deja las cosas para mañana. Nada reseñable. Matthew cogió unos alambres que había en el suelo, junto a unos hierros y unas herramientas. Siempre se le habían dado bien las cerraduras: un alfiler, una horquilla, cualquier cosa que pudiera introducir en el hueco de la llave. En unos segundos la puerta estaba abierta. A los gorilas no les sorprendió, tan solo observaban y se tocaban ligeramente el pecho para comprobar si sus pistolas seguían en su sitio. Tamiko miró a Matthew algo contrariada, le tenía más bien por un ladrón de guante blanco y no por un simple ratero. Matthew levantó los hombros y la invitó a pasar. Los guardaespaldas tomaron posiciones, uno se quedó en la puerta, observando, ocultándose en la fachada por si algún vecino o alguien inesperado quisiera entrar, y el otro se puso en guardia, haciendo un mapa mental de todas las entradas y salidas.

—¿Aprendiste también a abrir cerraduras estudiando informática? —dijo Tamiko.

—Bueno, digamos que en el reformatorio a veces nos gustaba salir a dar una vuelta.

Al entrar en la caótica vivienda, todo parecía extrañamente desordenado. La aleatoriedad de los objetos en el desorden daba la sensación de que todo aquello había sido distribuido por alguien metódico; nada de aquel aparente desbarajuste parecía casual. Como si el caos hubiera sido diseñado.

—Parece normal, ¿no? —preguntó Tamiko, que ya había empezado a entender que debía hacer caso a las intuiciones de Ofiuco, ese ser especial en el que se convertía Matthew cuando dejaba de ser un *hippy* trasnochado.

Era la típica casa de pueblo francesa de clase media, con sus muebles viejos y gastados, cuadros de ganchillo, recuerdos de algún viaje por Europa. La nevera seguía encendida. Matthew la abrió y encontró verdura y leche podrida.

—Si te vas a ir de viaje, ¿no vacías la nevera? —preguntó Matthew al guardaespaldas, que no hizo ni un solo gesto—. Si dejas todo esto: queso, mermelada, leche, tres huevos, zumo abierto, un *tupper* con comida... ¿Tiene sótano? —El gorila señaló una puerta que daba a unas escaleras—. Bajemos.

Tamiko no podía ocultar cierto temblor, y permanecía tras el guardaespaldas, que sacó la pistola y se quitó las gafas de sol por primera vez. Matthew intentó encender la luz varias veces sin éxito; el interruptor no hacía contacto y parecía tener un pequeño cortocircuito. El guardaespaldas utilizó la linterna de su móvil y descendieron entre la penumbra. Los escalones eran de madera vieja y sonaban como si se fueran romper, así que tuvieron cuidado de bajar de uno en uno y sin pisar el mismo escalón. El tipo de la pistola iluminó a todas direcciones como esperando que algo saltara sobre ellos. La luz iba y venía, pero era tenue. Observaron el sótano y todo parecía normal. Tamiko gritó asustada por alguna rata que salió corriendo con miedo, espantada por la luz. Matthew observó por todos los rincones hasta que vio la luz roja de un piloto, detrás de unas maderas y unos esquíes. Los tres despejaron los objetos hasta que descubrieron un enorme congelador. Se miraron haciendo un mal gesto, como si ninguno se atreviera a echar un vistazo dentro. Por fin, Matthew abrió la puerta y el gorila alumbró el interior con el móvil. Parecían bolsas de congelados: guisantes, patatas fritas, restos de carne... Matthew revolvió todo y cambió de sitio los paquetes para ver si encontraba algo sospechoso. De pronto soltó un grito y dio un salto para atrás. El tipo de la linterna apuntó con la pistola y el móvil con la luz cayó al suelo. Tamiko lo recogió y se acercó.

—Creo que hemos encontrado a los Surrien —dijo Matthew preocupado.

Tamiko alumbró hacia el congelador y vio una mano humana. Intentó mostrar entereza y separó el plástico que se había quedado duro por el frío: entonces descubrió restos humanos, trozos de cuerpos.

* * *

Cuando llegó Günter con tres tipos, Tamiko había hecho varias llamadas y caminaba de un lado a otro discutiendo en un idioma indescifrable con alguien al otro lado del teléfono móvil. Matthew fumaba jugueteando con la máquina de cortar césped, la que pensaba que era del vecino. El austriaco había decidido no avisar a nadie todavía; lo acompañaban tres científicos expertos en escenas criminales, de esos que encuentran huellas hasta en los lugares más difíciles. Eran, efectivamente, los restos del matrimonio Surrien, y por lo visto habían estado allí durante meses. La persona o personas que habían cometido el crimen eran profesionales: ni una huella ni una pisada.

Günter hizo una llamada y en media hora tenían un completo equipo de investigación criminológica, con toda su parafernalia. Nada, ni un resto, ni un cabello. Parecía imposible, como si el matrimonio se hubiera introducido por su propio pie en el congelador y se hubieran cortado cuidadosamente las partes de sus cuerpos con una herramienta tan afilada que no dejaba ni rastros de su propia materia. Matthew ya lo sabía, por eso fumaba y sonreía en el jardín, mirando el reloj, esperando que el equipo decidiese recoger los bártulos y salir de la casa con cara de desesperación y sin ninguna prueba. Günter le observaba desde el interior de la casa, desesperado porque el puñetero *hacker* siempre estaba un paso por delante de los demás. Despreciaba el talento, él creía en el trabajo. La gente con talento solía ser anárquica y no atendía sus razonamientos lógicos, y eso podía con su extrema metodología. Mientras recogían, Matthew aprovechó un descuido de sus perros guardianes y le dejó la cortadora de césped al vecino apoyada en su valla. A Tamiko le pareció un buen detalle, algo gracioso dentro de toda aquella truculenta historia, y no dijo nada a Günter.

* * *

Los días siguientes estrecharon el cerco. Matthew se lo tomó por fin como algo personal y pisó el acelerador. Casi no dormía. Sabía que algo estaba fallando en la ecuación. Miró todos los vídeos de la última semana, todas y cada una de las grabaciones de todas y cada una de las cámaras. Todo parecía normal, demasiado normal. El único problema era que Marie Geneviève había ido a trabajar cuatro días antes de la visita a su casa. Un misterio de la naturaleza: que alguien pudiese ir a trabajar después de estar troceada en un congelador durante más de cuatro meses. ¿Quién era aquella persona? Hicieron las preguntas de rigor, pero nadie parecía haber advertido ninguna diferencia muy notable. Eso sí, todos reconocían que Marie había cambiado en los últimos meses, decían que estaba distante, poco habladora, desmejorada, pero claro, con la muerte de sus dos hijos era normal y nadie había querido indagar demasiado. Era un tema profundamente delicado, suficiente como para que sus propios compañeros entendieran sus frecuentes visitas al baño a llorar y su falta de conversación. Matthew estaba seguro, la rata que se había hecho pasar por aquella mujer incluso habría planeado la muerte de los hijos. En el periódico se decía que volvían borrachos y drogados de una fiesta y que así tuvieron el accidente. ¿Tan drogados como para haberse puesto el cinturón de seguridad y no poder desabrochárselo una vez en el agua? De cualquier modo, nunca lo sabrían porque Marie, o la que suplantaba a Marie, jamás volvería al complejo.

Lo único que tenían que hacer era no airear el tema. Así que Matthew le propuso a Günter engañar, en cierto modo, a la prensa. Plantearlo como un nuevo crimen sin resolver, un asesino en serie con ciertos comportamientos parecidos a un par de casos de años atrás. Solo había que buscar entre antropófagos y enfermos mentales algún episodio similar sin cerrar y establecer una relación entre ellos. Por supuesto, los periódicos y las absurdas tertulias de los canales sensacionalistas ayudarían a extender ese cuento.

No podían contar la verdad. Nadie en el complejo debía conocer otra versión, salvo Günter, Tamiko y Matthew. Bueno, y aquellos tipos con los que la japonesa hablaba incesantemente y que parecían querer estar al corriente de todo. Era difícil, y era un póker a cara descubierta, si tan bueno era el topo, seguro que se habría enterado de la visita a casa de Marie. Pero quizá no. Quizá se tragara la versión de la policía: que una tormenta había apagado la electricidad y el olor de los cuerpos había atraído a la policía a la casa, descubriendo el crimen. Por si acaso, no había que desconectar ese undécimo cable que salía de los servidores.

Matthew se pasó tres días intentando buscar la información derivada hacia ese servidor externo. Era muy complejo, pero nada que no supiera desmadejar. Ahora debían mantener ese pequeño flujo de información e introducir ciertos elementos falsos o erróneos, pero con cuidado, porque los errores debían ser acordes con la investigación, y para eso necesitaba a Günter. Trabajar codo con codo, algo que no podría durar mucho tiempo, solo el suficiente como para disfrutar viendo al austriaco incrementar su bilis por el carácter del *hacker*.

El *hackeo* chino estaba bastante avanzado, Matthew incluso había derivado cierta información sobre un posible ataque a la central oriental que llevaría a sus protocolos de seguridad a cerrarse y mostrar de ese modo el logaritmo de funcionamiento. Con cada pequeño riesgo de ataque se cambiaba todo el protocolo. Solo tendría que mostrar unas cuantas posibilidades de ataque e intentar encontrar un patrón de conducta del programa de protección.

Tamiko y él habían estrechado su relación, no intimaban, no eran amigos ni se miraban a los ojos, pero de vez en cuando él, con la excusa del trabajo, la invitaba a su habitación y debatían en la terraza de arriba con un daiquiri. Fue lo más parecido a una novia, a un amigo, a una relación humana que tuvo durante aquellos meses. Aunque la japonesa parecía imperturbable ante los encantos de Matthew. Parecía más bien una fría autómata esperando la orden de alguien superior para cambiar el rictus y convertirse en una perfecta máquina de matar.

Todo funcionaba. Una semana después, la noticia del crimen había dejado de tener importancia y nadie hablaba de ello. El flujo de información seguía su curso y no parecía que el topo hubiera notado el engaño. Por fin, Matthew descubrió hacia dónde se dirigía la información. El destino de los datos era Aksa Chin, la zona donde China estaba creando su proyecto de fusión. La información llegaba hasta un terminal con extrema seguridad controlado por un pirata informático llamado Tze-Yeh, un nombre tomado del poeta medieval que escribió sobre el amor. Sin duda un romántico. Un romántico que había cometido el error de jugar con el mejor. Matthew le lanzó un señuelo para ver si Tze-Yeh no cerraba el flujo; si no lo hacía, el siguiente ataque sería uno de los virus más potentes jamás creados. El programa en el que había estado trabajando las últimas semanas.

* * *

—*Remember when you were young, you shone like the sun. Shine on you crazy diamond. Now there's a look in your eyes, like black holes in the sky...*

Matthew estaba contento, aquellas noches eran las que más placer le producían, justo antes de la victoria. Escuchaba el *Wish you Were Here* en la cadena que había hecho instalar en la habitación y miraba el canal y el embalse desde la pequeña terracita de su cuarto del dúplex. Alguien llamó a la puerta. Ante la sorpresa de Matthew, era Tamiko con una botella de champán en la mano.

—Ha picado —dijo la distante oriental mirándole por primera vez a los ojos—. No ha cerrado el flujo.

—¡Bien! —Matthew cerró los puños al aire y se acercó a dar un beso a la japonesa, que se apartó con una postura de batalla, como de Kung Fu. Sin duda no se lo esperaba—. Perdona, es por la alegría... pensé que podíamos hacer el amor toda la noche y abrir una botella de champán para celebrarlo —dijo irónicamente el *hacker*.

—Vas demasiado rápido —respondió Tamiko mostrando las copas que tenía ocultas.

—Vale, Tamiko, vale... ¿sabes?... Yo sé que te gusto y que me querrías echar un polvo, con desenfreno, en la terraza, mirando la luna sobre el agua, pero no te atreves porque sería indecoroso. Pero yo no estoy dispuesto en la primera cita, yo soy más de hablar y conocernos, y poco a poco que vaya surgiendo. —Matthew hacía un perfecto papel de caballero cuidadoso.

La japonesa subió a la terraza, sirvió las copas de champán y se quitó la ropa. La iniciativa era de ella, y de alguna manera le jodía que Matthew le hubiera leído el pensamiento. Pero aquel par de horas fueron una buena celebración para los dos. Él estaba feliz, triunfante, y Tamiko se marchó con la misma discreción con la que había llegado. Al despedirse él intentó volver a besarla, pero ella le ofreció la mano y le dio la enhorabuena por su trabajo.

Matthew apuró el último trago de champán y estuvo un rato mirando la noche por la terraza, respirando su gran día. Al rato, cuando la botella exprimió sus últimas gotas, se fue a la cama. Al abrir el edredón encontró una extraña carta. La abrió pensando que la japonesa le habría dedicado un poema de amor, una declaración de matrimonio y que los dos vivirían felices vestidos de samuráis en Kioto o en un pequeño pueblecito pesquero del sur de Japón.

Ofiuco, quizá cuando leas esta carta sea demasiado tarde. Nada es lo que parece, cuando consigas *hackear* el reactor chino tu trabajo habrá terminado y ya no te necesitarán. El plan es que tu cuerpo desaparezca en medio del océano. Puedes creerme o no, pero una vez que entres en el complejo mañana no podrás salir vivo. El pasillo que lleva de tu habitación al vestíbulo principal pasa por la biblioteca, si consigues acceder a ella deberás accionar la palanca que hay en la chimenea y se abrirá el pasadizo que lleva a las inmediaciones del río. Allí te indicaremos. Solo tienes unos segundos para decidir desde que suene la alarma. Firmado: N. F.

—Bueno —reflexionó para sí Matthew—. Pensaba que Tamiko no tenía sentido del humor.

Se sentó en la cama unos segundos, pensando si dar credibilidad a la carta o no. De repente, comenzó a sonar la alarma del castillo, se asomó a la ventana y vio cómo varios hombres armados se acercaban con perros. Intentó abrir la puerta, pero estaba cerrada desde fuera. Tenía que reaccionar rápido, pensar. Miró de nuevo la carta y la tinta, las palabras habían desaparecido, no parecía más que un folio arrugado que se había traspapelado. Se puso la ropa lo más rápido que pudo, algo cómodo por si tenía que correr, y subió a la terraza. Sabía, por el mapa mental que tenía del castillo, que si escalaba por la terraza y giraba al sur podría intentar buscar acceso por la ventana superior de la biblioteca y esperar que la escalera que servía para acceder a los anaqueles superiores estuviera bien colocada para poder bajar. Sin duda, el que hubiera escrito la carta lo tendría que haber considerado entre las posibilidades. Escaló y a duras penas llegó al tejado. Se escuchaban gritos y ruidos por todas partes y se veían luces de linternas moviéndose de un lado a otro en los alrededores del castillo. Era evidente que estaban buscando a alguien entre tanto barullo. Intentó no pisar demasiado fuerte para no tirar ninguna teja y no alertar a los guardias, y consiguió llegar a la ventana de la biblioteca. Miró, y no parecía haber nadie dentro, se quitó la cazadora, se la enrolló en el brazo y rompió el cristal con un golpe seco. Abrió el pestillo desde dentro y le entró un pequeño mareo al ver la enorme distancia que le separaba del suelo. Introdujo casi medio cuerpo para ver si la escalera estaba cerca de la ventana y sonrió suspirando. El tipo que dejara la carta sobre la cama le había leído el pensamiento. Se agarró al marco y palpó con los pies hasta encontrar con la punta el peldaño superior, ahora debía tener cuidado y no caerse. Debía arrastrar su cuerpo unos palmos hasta agarrarse con las manos. Era un riesgo, si fallaba se estamparía contra el suelo a una distancia de unos diez o doce metros. Pero no quedaba otra opción. Lo pensó un par de veces, hasta que distinguió a unos tipos con linternas que se acercaban por fuera e iluminaban la ventana de la biblioteca gritando y señalándole. Debía hacerlo ya. Se soltó y durante un par de segundos estuvo en caída libre hasta que consiguió agarrarse a la escalera, quedando sus piernas en el aire. Debía darse prisa y así lo hizo. Bajó deslizándose y buscó la chimenea. Ahora había que adivinar dónde estaba la palanca. La chimenea estaba recubierta de madera y mármol. Decorada barrocamente, con amorcillos tocando el laúd y hojas de acanto labradas. Toqueteó todos los utensilios de hierro, la paleta y el rastrillo, pero nada parecía moverse. Empezó a oír ruido en el pasillo y empujó una pesada mesa contra la puerta. Los de fuera comenzaron a dar golpes. La presión le gustaba, siempre le funcionaba mejor la mente, el pensamiento, el análisis. Metió la cabeza dentro de la enorme chimenea y respiró, pensó dónde la escondería él, dónde no miraría nadie. Se detuvo unos instantes, cerró los ojos y recordó todo lo que había visto como a cámara lenta. Un pequeño angelito de los que jugaban, con sus pequeñas alas y su sonrisa, tenía la nariz algo gastada, el rostro más brillante que los demás, apenas apreciable, pero la madera no había envejecido de la misma manera. Dio un paso hacia atrás y giró la pequeña cabeza. Lo había conseguido, el hogar comenzó a abrirse lentamente; no era muy grande, pero suficiente para que un hombre lo atravesase casi tumbado. Lo pensó, los golpes en la puerta eran cada vez más fuertes. Y el murete que se había abierto en el fondo del hogar volvió a cerrarse lentamente junto a la cabeza del angelito. Se metió dentro. En pocos segundos el murete de ladrillos se cerró y se encontró totalmente a oscuras. Tan solo el mechero le daba una pequeña luz, menos mal que no había dejado de fumar. Se arrastró unos metros, a duras penas, hasta que encontró una pequeña escalerita solo de bajada. Parecía una alcantarilla, había un palmo de agua y Matthew decidió seguir la corriente, pensando que sería lo más inteligente. El agua siempre busca la salida. Debía darse prisa si quería salir a tiempo y que los guardias no le siguieran. Una vez hubieran entrado no tardarían mucho en descubrir la entrada oculta en la chimenea y darle caza. Siguió caminando hacia adelante.

Matthew seguía pensando que todo aquello era un juego, quizá Günter o Tamiko le estaban poniendo a prueba, un juego típico para probar la huida. Pero realmente él no deseaba huir, porque no sabía lo que estaba ocurriendo y existía la posibilidad de que sus amigos estuvieran en peligro. Se dijo que, en cuanto le fuera posible, los avisaría para que se pusieran a salvo. Pero ahora no había tiempo, debía salir de aquella encerrona. Si las amenazas eran ciertas, tenía que darse prisa y llegar cuanto antes a la salida.

Llegó hasta una puerta después de unos escalones, a duras penas la pudo abrir y se encontró en una pequeña habitación de unos cuatro metros cuadrados

y con varias puertas. Los pasadizos del Castillo parecían haber sido utilizados en la Segunda Guerra Mundial, de hecho, había todavía carteles en alemán y restos de cajas de madera y casquillos de bala. Encontró
unas telas y fabricó una pequeña antorcha antes de
que se terminase el gas del mechero, que poco le
quedaba. El laberinto de puertas parecía terminar
siempre en el mismo pasillo. Lo recorrió de lado a
lado, pero parecía no haber salida, debía pensar de
nuevo. Examinó todas las puertas y por fin encontró
una con un enorme cerrojo oxidado que no quería ce-
der. Usó piernas y brazos y consiguió correrlo. Una
bocanada de aire, por fin. La pequeña puerta estaba
oculta entre matorrales, a simple vista nadie podría
verla entre la hierba y las ramas. Consiguió zafarse
raspándose varias veces los brazos y llegó hasta el
borde del agua. Era mejor apagar la antorcha, para
que nadie lo viera a lo lejos en la noche, así que volvió
la oscuridad. La noche era cerrada y la neblina del río
era un regalo para los que querían no ser vistos. Cerca
de la salida divisó un brillo, alguien había dejado una
moto de agua con las llaves puestas, tapada con una
manta de camuflaje. Una nota con las coordenadas y
un GPS. Comenzó a oír perros a unos cientos de metros, parecían acercarse. Decidió coger la moto y pasear por el río. Debía llegar hasta el aeródromo de Vi-
non, a unos pocos kilómetros, y allí esperar que el
juego terminase o que alguien lo recogiera. Ese tal
N. F., o Tamiko y Günter riéndose de él y de su inocen-
cia. Quizá todo esto no era más que un macabro juego
para reírse de él. Por si acaso, aceleró la moto.

Un par de veces estuvo a punto de caer, porque había zonas donde el afluente de Durance, el Verdon, no

tenía mucho caudal, y la moto se raspaba con los matorrales y la tierra. Siguió hasta donde le marcaban las coordenadas. Allí debía atravesar unos campos de cultivo. Escondió la moto como pudo en una ladera del río y sorteó la civilización, una zona comercial y, a su derecha, unos edificios que parecían fábricas. No debía verle nadie. Atravesó los campos y una pequeña carretera y comenzó a ver las luces del aeródromo. El GPS le indicaba el mismo lugar y hacia allí se dirigió. Había varias avionetas y algún ultraligero aparcado fuera. Pero le llamó la atención una pequeña avioneta, como de cosecha, que permanecía encendida y con un piloto dentro. Una mujer esperaba en el exterior hablando por teléfono y mirando hacia todos los lados. Como siempre, últimamente, había que decidir rápido y se acercó.

—¿N. F.? —preguntó Matthew levantando las manos.

—Te estábamos esperando —contestó la mujer haciendo señas al piloto para que dispusiera el despegue—. Has tardado.

Matthew sonrió, iba a decir algo, pero se contuvo. ¿Que había tardado? Escalar el tejado de un castillo, encontrar un pasadizo secreto sin luz, conseguir salir, encontrar la moto y casi matarse con ella y atravesar varios campos de cultivo... ¿En cuánto tiempo querían que lo hiciese?

Se subieron a la avioneta y despegaron. El piloto apagó todas las luces, las de cabina y las de posición, y por fin Matthew se relajó.

—¿Y Tamiko? —le preguntó a la mujer.

—Tamiko era la que debía matarte mañana, si no lo ha hecho hoy es porque no has acabado el proyecto.

Los hombres no pensáis con el cerebro, nunca pensáis con el cerebro cuando se trata de una mujer.

—¿Tamiko? —Matthew no podía creérselo—. Bueno, prefiero que sea ella. ¿Tienes un móvil con acceso a Internet?

—No te preocupes, nos hemos encargado de todos tus amigos y están a salvo. Ya no pueden chantajearte...

—¿De quién...?

—Samuel, el chico del Bronx, Chantall...

—¿Quién demonios eres tú?

—No soy ningún demonio, y mi nombre es Perenelle.

4

QUIÉN QUIERE VIVIR ETERNAMENTE...

No fue una huida con mucho *glamour,* pero lo cierto es que había conseguido salir de su secuestro. Matthew tenía un resquicio de esperanza de que la información sobre Tamiko fuera errónea. Quizá en un principio estaba en el bando enemigo, pero después habían construido una relación, una complicidad. Además, ¿cómo iba a ser una asesina con aquella botella de champán y aquella manera de hacerle el amor? Una asesina no cometería errores tan vulgares como dejarse seducir por un idiota como él. Su intuición le decía que Tamiko también ocultaba algún misterio, pero, de momento, no iba a volver para descubrirlo.

Cambiaron varias veces de transporte. Avanzaban haciendo círculos para que nadie pudiera seguirles. Su último transporte fue un helicóptero con el que, al fin, llegaron a un refugio en los Alpes suizos, un refugio impresionante, la entrada estaba excavada en el suelo y desde el aire era casi imperceptible. Un pequeño monorraíl les subió hasta lo alto del complejo. Una arquitectura que se mimetizaba con el paisaje nevado, un buen lugar para esconderse con unas vistas de película.

Perenelle llevó a Matthew hasta una habitación bastante cómoda que tenía un gran ventanal desde el que se veía la altura a la que estaban, incluso daba un poco de vértigo si te arrimabas demasiado al cristal, como una sensación de vacío ante la naturaleza, de caída libre. La decoración le llamó la atención. Antiguos grabados de alquimistas trabajando, como estampas sacadas de libros medievales de algún monasterio. Se acercó y observó las imágenes. Se fijó especialmente en el detalle con que estaban ornamentadas y la fuerte carga de símbolos que contenían. Matthew no entendía demasiado de esas cosas, pero las inscripciones en latín siempre le habían hecho gracia. En uno de los dibujos figuraba esta:

Declaratio Lápidis Physici: «No hay sino una piedra, una sola manera de operar, un solo fuego, una sola manera de cocer, para llegar al blanco y al rojo, y todo se ejecuta en un solo vaso».

Sin duda ese Avicena debía de haber sido un químico o un alquimista. Sobre la cama había una túnica de su talla, de color morado, se la puso y se miró al espejo. Se sentía como uno de esos monjes orientales que buscaban la purificación del espíritu humano. Un tipo poco hablador llamó a su puerta y le acompañó hasta un gran salón donde varias personas le esperaban. Entre ellas, Perenelle. Todos parecían ser extrañamente jóvenes, pero si los mirabas con detenimiento sus ojos mostraban la sabiduría de los años, como si fueran ancianos sabios encerrados en cuerpos atléticos y bellos. Uno de ellos se acercó y le mostró el camino hacia lo alto de la torre, hacia un pequeño laboratorio. Le ofreció asiento. Sobre la larga mesa había todo tipo de antiguos artilugios y sustancias químicas: probetas, tubos, filtros, metales molidos, líquidos destilados de diferentes colores y una pila de libros desordenados que parecían tener cientos de años.

—¿El viaje ha sido de su agrado, señor Ofiuco? —le preguntó el tipo, mientras servía una extraña bebida en dos vasos de metal.

—Sí, un viaje divertido. ¿No tendrá ron? —respondió Matthew.

—Pruebe esto. —Matthew lo probó.

—¿Es ron? Sí, y de los buenos, pero el color...

—Es la bebida que cada paladar elige gustar.

—Está bien, me tendría que llevar un par de botellas de esas.

—Ofiuco, mi nombre es Nicolás Flamel, ya ha conocido a mi mujer, Perenelle.

—Vaya...

—¿Le gusta?

—No, no quería decir eso. —Matthew sonrió.

—Ya no estamos casados, si le sirve de consuelo, pero no creo que usted sea su... tipo. ¿Sabe la edad que tiene?

—¿Treinta?

—Unos 673 años, si las cuentas no me fallan.

—Pues me tienen que decir a qué gimnasio van...

—Matthew, usted aquí no tiene que seguir siendo el bufón. Sus nervios le hacen parecer...

—¿Idiota?

—Sí, realmente es así. Pero nosotros sabemos su virtud y está aquí por sus enormes posibilidades.

Matthew se levantó y por primera vez se sintió pequeño, acomplejado ante la mirada de alguien. Aquel tipo parecía saber todo sobre él, todo. Y destilaba un halo de tranquilidad y sabiduría que le desconcertaba. Quizá habían sido demasiadas aventuras: la altura, la huida... Lo cierto era que se encontraba un tanto desconcertado.

—¿Sabe algo de alquimia, señor Ofiuco?

—No, la verdad es que no.

—Es importante que entienda lo que aquí hacemos. Los Adeptos, nuestra hermandad, tiene demasiados años ya y hay cosas a las que no podemos enfrentarnos solos, necesitamos gente que maneje las nuevas tecnologías.

—¿Los Adeptos? ¿La alquimia antigua, se refiere? ¿Eso de convertir los metales en oro con la piedra filosofal, como en las películas de Indiana Jones?

—Banalizar es el primer camino para la pérdida de respeto por las cosas. Banalice usted la vida y se encontrará solo ante la muerte inexorable. Aquí podemos enseñarle algo de amor por sí mismo, algo que está más allá de nosotros, la comunidad entre el espíritu de todos nosotros.

Matthew abrió un par de libros y ojeó algunas páginas. Los había en diferentes idiomas.

—Paracelso, Helvetius, La Tabla Esmeralda, Avicena, Geber... ¿Quiénes son?

—Alquimistas, médicos, físicos, químicos que han ido perfeccionando el arte que nos traemos entre manos.

—Creo que ahora le toca explicarme todo esto. ¿La alquimia? ¿No es de esos temas de los que tratan los iluminados de la tele, esos que echan el tarot?

—¿Ve? —respondió con una ligera sonrisa Flamel—. Su sociedad ha banalizado todo, cualquier vendedor de crecepelo se hace pasar por sabio ante la atónita mirada de unos espectadores ávidos por creer mentiras. Nunca verá usted a un verdadero alquimista hablar de sus logros en público. La alquimia es mucho mayor y más compleja que todo eso. Es la química sagrada, la que posee la virtud de destilar el néctar divino que Dios nos ha dado. Mire. —Abrió uno de los libros, el que parecía el más antiguo—. Dios legó esta ciencia a los atlantes, a los ángeles que se mezclaron con los hombres para crear la obra magna, el material divino, la piedra filosofal. Toda piedra posee cinco dones. El primero es la transmutación del hombre, el cambio hacia una espiritualidad mayor, más compleja, el acercamiento a lo divino, a lo extraterrenal, lo que nos une en hermandad, una energía que fluye en el interior de cada uno de nosotros y que debemos compartir. También tiene el poder de otorgar la eterna juventud, mediante la espagiria. Mire el libro de Paracelso, separar lo falso de lo justo, mezclar los elementos, el agua, la tierra y el fuego para que el cuerpo corresponda a la edad de la mente.

—Eso me vendría bien para curar todos los excesos de mi vida.

—No funcionaría, para tomar esas píldoras debe usted haber sido preparado mentalmente, haber alcanzado cierta paz consigo mismo. Y usted no la tiene.

—Me tiene muy estudiado.

—Digamos que es usted algo llamativo, previsible, fácil.

—¿Y los otros dos dones de la piedra? La transmutación, la eterna juventud...

—¿Le interesa realmente?

—Hombre, si a usted una secta le hubiera rescatado de una muerte segura, de unos tipos que parecen controlar el mundo entero y son capaces de registrar medio planeta para encontrarle, y le salvase una tía de 700 años, ¿no estaría interesado en saber quiénes son?

—Imagino que sí. Aunque cada uno de nosotros sabemos lo que debemos saber, nada más. Los otros dos objetivos —prosiguió Flamel— son la inmortalidad, si se bebe el oro líquido destilado de la piedra, y la creación de vida. Ese es el elemento que nos puede acercar al espíritu de Dios, el Creador de todo.

—Y luego está lo del oro, la piedra que convertía todo en oro.

—Bueno, todo exactamente no. Pero sí, es otro de los dones de la piedra.

—Tienen ustedes piedras de esas.

—Sí, pero no a su alcance.

Matthew le pidió un trago más de ese líquido y miró por la ventana unos instantes mientras intentaba imaginar el ron más sabroso que había tomado. Y la verdad, se dijo, el sabor de ese era muy parecido, quizá ese era mejor, como si el recuerdo hubiera depurado los pequeños matices para adecuarlos a su gusto personal.

—He de agradecerles todo lo que han hecho por mí, incluso esta charla didáctica sobre la alquimia, el viaje, la ropa... pero ahora dígame: ¿cuál es el precio?

—¿Precio? Ninguno. Nosotros nos ponemos a su servicio y usted se pone al nuestro, un intercambio. Los tipos con los que estaba jugando no bromean como usted, controlan buena parte del mundo y le encontrarán tarde o temprano. Y le matarán o algo peor.

—¿Peor?

—Sí, créame, hay cosas mucho peores que la muerte. Sufrimientos infinitos si se recurre a un sabio en esos menesteres. Nosotros le proponemos un cambio: será usted otra persona y nadie podrá reconocerlo, incluso sus huellas dactilares, nadie sabrá que bajo ese nuevo hombre, o mujer, se encuentra usted. Y así estará libre para reinventarse de nuevo. Por dentro seguirá siendo usted el mismo Ofiuco, Matthew, o como quiera que usted se llame a sí mismo.

—Una oferta tentadora, pero ¿no te vuelves loco? Mirarte en el espejo y ser otra persona debe llevarte a la esquizofrenia.

—Para ello debe estar usted preparado, encontrar su verdadera fuerza interior, aquello por lo que realmente quiere vivir. Ese es el quid de la cuestión. Todos podemos fabricar una piedra, un metal, pero la piedra filosofal solo se puede construir con conocimiento, fe y paciencia. El único ingrediente que no está en los libros, el que ha pasado de generación en generación, el Pranna, el Qui, el Maná, la vida que está en el aire, la energía que reinventa la vida a cada momento. ¿Está usted preparado para enfrentarse a su propia muerte y renacer?

Por primera vez en mucho tiempo Matthew se quedó sin palabras, no sabía qué responder. Llevaba tantos años malgastando los días, las horas, los segundos, sin un norte fijo, sin saber para qué vivía, que todas aquellas preguntas filosóficas le dejaron sin palabras. Se quedó pensativo, mirando los Alpes desde la ventana y saboreando el extraño ron que le había servido Flamel. La reunión se cerró sin respuesta.

Durante los días siguientes Matthew estuvo recorriendo aquel lugar como si tuviera que encontrar algo, una clave, una razón. Nadie le obligaba a permanecer allí, podría haber salido en cualquier momento, pero no lo hizo. Simplemente le provocaba curiosidad todo aquello. En aquel complejo se vivía en paz, los miembros de la hermandad se repartían en varias labores. Parecían ser los guardianes de la obra divina, pero no como una iglesia corrupta, llena de podridos cardenales que quieren enriquecerse y vivir con todo lujo su miserable existencia. No, más bien daban la impresión de ser unos sacerdotes puros. Había lugar para la contemplación, para los experimentos, para la meditación y la observación del espacio. Le llamó la atención que no hubiera un solo ordenador, ni soporte digital, ni informático, todo se hacía en papel y se llevaba a mano de un lugar a otro del complejo. Uno de los sitios que más le llamó la atención fue un pequeño observatorio con un telescópico electrónico. Con los días se convirtió en el lugar en el que a Matthew le encantaba pasar las horas. Siempre le gustaron las estrellas y podría haber empleado vidas enteras observando las órbitas de los planetas. Mientras, sabía que debía tomar una decisión.

Un día, Perenelle se le acercó.

—No sales de aquí —comentó la enigmática mujer—. ¿Esperas que las estrellas te den la respuesta?

—Algo así —respondió Matthew mirando por el telescopio—. Siempre he creído que todas las respuestas están ahí fuera. Que la ciencia ficción no es más que el recuerdo de los tiempos que vendrán.

—En lo que nos convertiremos.

—Sí, en lo que nos convertiremos. Lagartos, reptiles, seres luminosos. En cada lugar de la galaxia habrá una forma determinada que llamar vida.

—Tienes que tomar una decisión, no hay mucho tiempo. El maestro Anqi Sheng quiere conocerte.

—¿Quién es?

—El segundo cimiento que sostiene a la hermandad.

—Los Adeptos, sí. ¿Por qué os llamáis así? —preguntó Matthew sin apartar su mirada del visor.

—Muchos años lleva esta hermandad, y muchos han preguntado por sus muchos nombres. Los adeptos a la vida, al amor a la sabiduría, a la conciencia universal del hombre, a la comprensión del universo a través de nuestro espíritu. Los encargados de separar la ciencia de lo divino. Los Adeptos, así fueron llamados los que se iniciaban en los arcanos de la alquimia. Y ese nombre se ha mantenido hasta la actualidad como símbolo de los que buscan la divinidad y la buena naturaleza del hombre.

Bajaron hacia una zona ocupada por enormes cuevas. En cada sala que atravesaban había alumnos ejercitándose en diferentes habilidades. Llegaron a una de las salas más grandes, la que parecía ser la biblioteca. Allí daba clase a unos adolescentes de múltiples razas un anciano chino con el pelo cano y largo, Anqi Sheng.

—Hay que comprender la naturaleza, aprendices —decía en su clase magistral el maestro—, la magia está en el aire—. Mientras hablaba, el aire cercano a sus manos cambiaba de color y parecía seguirle—. Todos nos alimentamos de lo que no se ve, pero existe, lo que invade nuestro cuerpo y nos convierte en seres vivos. La mano divina que nos separa de los metales y la oración que nos hace estar vivos. Escuchen, aprendices... Oigan el sonido de la vida abriéndose paso por entre los átomos del equilibrio.

Anqi Sheng no había querido transmutar su imagen y seguía teniendo ese aspecto de viejecito venerable. Una larga barba a ratos gris y a ratos blanca le acariciaba el pecho, y tenía una sonrisa apacible. Los alumnos lo miraban extasiados. Perenelle le explicó a Matthew el honor que suponía recibir clase del mismo Sheng, un privilegio que solo se otorgaba a los pupilos más aventajados de la hermandad. Sheng los había dejado a la expectativa, escuchando. Entonces abrió sus brazos, respiró profundamente y susurró unas palabras indescifrables que llenaron la sala como de una extraña sensación de libertad, de paz, de armonía con el infinito. Los alumnos y Matthew quedaron sobrecogidos. Era como escuchar la voz de los antiguos ángeles, algo divino y difícilmente explicable.

Perenelle indicó a Matthew que debían esperarle en una sala contigua. El *hacker* quería quedarse a la clase, pero ella le explicó que había cosas que no debía ver sin estar preparado. Esperaron en una pequeña estancia y Matthew jugueteó con los libros un poco enfadado por no haber podido continuar escuchando la magistral charla.

—¿Lo has sentido? —le preguntó la mujer.

—Sí, ha sido...

—Sí. —Sonrió—. No hay palabras para describirlo la primera vez que lo oyes.

—Es como si... —Matthew intentaba buscar las palabras adecuadas—. Como si hablara un ser antiguo.

—Son las palabras de los seres antiguos, es mezilin, muy pocos saben hablar ese idioma perdido entre las sombras del tiempo.

—¿Mezilin?

—Los seres divinos que recibieron los secretos de la alquimia, el Opus Magnum, la piedra. Ellos eran los únicos que sabían insuflar lo divino, lo oculto, la emoción espiritual necesaria para la Obra. Lo que se encuentra en el rocío de la mañana, la vida que comienza a renacer con el sol.

—¿Es él? —El maestro Sheng irrumpió en la estancia como si hubiera levitado; ni pasos, ni puertas, nada parecía haberse movido, y fuera se podía escuchar cómo el mismo Sheng seguía dando clase a los alumnos, a los principiantes.

—Sí, es él. —Sonrió Perenelle—. No sé si nos habremos equivocado, pero es el que dijo Nicolás.

Anqi Sheng se acercó hasta quedar solo a escasos milímetros de Matthew, tanto que el *hacker* notó cómo su mirada lo penetraba hasta las entrañas mismas, hasta los pensamientos más oscuros ocultos en su cerebro.

—Vaya, Tamiko... Nunca me gustó esa chica.

—¿La conoce? —preguntó Matthew sorprendido.

—Yo mismo la rescaté de las entrañas del mal, pero volvió a él. Cada uno vuelve a su esencia. Detrás de esa apariencia frágil hay una bestia, un diablo esperando salir.

—No le creo. Tamiko es lo único bueno que encontré en el complejo —respondió Matthew.

—El fuego destruye y no disgrega, eso lo aprendió bien. Los Guardianes la han atraído a su causa. Tamiko es capaz de ofrecer muchas caras, y de ninguna hay que fiarse. Todas son mentiras, perdió su propio ser, su propia esencia hace demasiado tiempo. Abusar de las píldoras de la vejiga del mercurio te hace ser nadie.

—A decir verdad, era una chica extraña...

—¿Otra vez sin mirar por su intuición, señor Ofiuco? —Sheng sonrió a Perenelle, que le respondió con otra leve sonrisa—. Sabe que tengo razón. ¿No dice nada?

—No, bueno... —Matthew se sentía demasiado manipulado por aquel tipo, y eso no le hacía estar a gusto. Siempre había preferido tener la sartén por el mango, ser quien manejara la situación, pero en aquel lugar todos parecían saber más que él, anticiparse en todo momento. Pensaba que nada de lo que pudiera decir iba a ser lo suficientemente inteligente, lo suficientemente interesante y profundo.

—¿Lo ha pensado ya? —continuó el mago chino, mientras en el cuarto de al lado se le oía dar clase como si nada—. Espero que haya aceptado, personas de su talento nos pueden ser muy valiosas.

—¿Quiénes son los Guardianes?

—Usted lo sabe mejor que nadie, ya que ha estado trabajando para ellos estas últimas semanas.

—¿Günter?

—Günter no es nadie, es solo un pequeño ladrillo. Él no es necesario, relevante, creo que ni siquiera sabe realmente para quién trabaja. No es más que un peón. Los Guardianes son una élite satanista que lleva milenios conduciendo al hombre a la destrucción, al odio, a las guerras, al hambre. Tienen una agenda que van cumpliendo milimétricamente desde hace decenas de años, desde la Primera Reunión, cuando decidieron traicionar sus convicciones. Solo pueden formar parte de ellos los hijos de los hijos, las familias que dominan el mundo, sus vínculos son de sangre. Los padres de Tamiko eran Guardianes, yo pude vencerlos y los maté, o los liberé, como quiera usted denominarlo. Pero no conseguí liberar a la pequeña de su esencia maligna. Tienen una misión desde hace siglos: traer de vuelta al Mesías Negro, el anticristo, el único dios en el que creen. Creen que su vuelta, su reencarnación, traerá al mundo el poder que esperan. Y están muy cerca de conseguirlo esta vez.

—¿Esta vez? —preguntó Matthew.

—Sí, esta vez. Han intentado traerlo varias veces a lo largo de la historia, pero siempre lo hemos impedido, a costa de muchas vidas. Suyas y nuestras.

—Creo que ustedes han puesto muchas esperanzas en mí, usted es capaz de estar en dos sitios a la vez, Perenelle, por lo visto, tiene 700 años y parece que tiene treinta... Aquí todos son sabios, magos, sobrehumanos, y yo no soy más que un *hacker*, egoísta, maleducado, fanfarrón... ¿Cómo puedo ayudarles yo?

—¿Sabe usted algo sobre sus padres?

—No, ¿usted sí? —Se quedó muy parado. Era la primera vez en su vida que alguien le hablaba de sus padres.

—Todo a su debido tiempo, Ofiuco. Ofiuco, sacado del útero de su madre muerta en una cesárea. El que encanta a las serpientes y es capaz de curar. ¿Por qué eligió ese nombre, señor Ofiuco?

—Yo no lo busqué, me lo puso...

—¿Víctor?

—¿Sabe quién es?

—Una pena lo de ese chico —continuó Sheng como recordando—. Murió por protegerlo, dio su vida porque creía en usted. Le torturaron, le arrancaron poco a poco toda su alma, pero nunca reveló nada sobre usted.

Matthew no cabía en su asombro. Quizá Sheng fuera el único que podría darle alguna información sobre sus padres, algo que tenía casi olvidado. Víctor había sido lo más parecido a un padre que había tenido en su vida. Una vida que parecía desdibujarse lentamente e irse convirtiendo en una mentira, algo controlado desde fuera. Se sentía un poco perdido y contrariado.

—Correr de un lado a otro buscando amor, eso tenemos los huérfanos, que no encontramos el amor de una madre. Somos fáciles de llevar por el mal camino porque pensamos que nadie nos quiere. Pero al final solo hay una explicación y usted todavía no tiene la paz para saber la verdad.

—Dígamela, a ver —respondió irónicamente Matthew—. Mis padres también eran de los Guardianes. Ya está: soy Harry Potter.

—Siga huyendo de sí mismo.

—Ten un poco de respeto —dijo cortante Perenelle—. Esto no es uno de tus juegos, esto es más serio. Aquí estamos luchando por la humanidad, no por los caprichos de un niño malcriado.

—Lo siento —dijo canturreando Matthew—, es que me parece que estáis todos mal de la chaveta. Por mucho que el truco del holograma del tipo ese que da clase al otro lado parezca muy real.

—Hace años, en una subasta del mercado negro, los Guardianes consiguieron la única partícula completa de ADN que se pudo extraer de la Sábana Santa, de la verdadera, no de la copia que mandaron analizar hace unos años, la del siglo XIII —proseguía su explicación Sheng—. En realidad, el único que conoce las infraestructuras del CERN es usted, sabemos que estudió con detenimiento sus sistemas de seguridad desde el ITER y que nadie más puede tener acceso informático a muchas de sus investigaciones. En el CERN llevan años buscando la Partícula de Dios, de su dios. En realidad, se trata de materia oscura, un elemento imposible en esta dimensión. Pretenden materializar ese cuerpo de manera estable para utilizarlo como un puente, un pasaje entre las dimensiones oscuras y la nuestra. Esa dimensión oscura ha sido identificada por todas las culturas del planeta y siempre se la ha simbolizado con el arcoíris, un lugar inaccesible. Ellos saben que esa materia oscura permitirá la entrada física de los Arcontes, demonios invisibles de los que se hablaba incluso en los escritos de NagHammadi. El saber de su existencia es milenario, el Islam los llama Djinns o Jinas; los romanos los identificaban como siervos de Janus; y en el Oriente semítico se les conocía como Genios. Siempre han estado inspirando a los seres humanos desde su invisible reino; ellos pueden «seducirnos», pero no pueden actuar materialmente. La Partícula de Dios, esa es la cerradura que necesitan para acceder directamente a nosotros, es la llave que abrirá las puertas del arcoíris.

—¿Y dónde se encuentra esa partícula? —preguntó Matthew.

—Suponemos que en ese ADN de la sábana. Es la única muestra, esperemos que sea la correcta. Nosotros solo sabemos nombrarla para insuflar energía a nuestras creaciones, pero no la tenemos, solo manejamos una ínfima parte de su poder. Si consiguen descifrar el ADN del mesías y destilan la Partícula de Dios, el aliento divino accederá al código del nazareno, luego será fácil manipular ciertas cadenas para modificar la esencia. Con los viejos salmos secretos crearán la semilla de la bestia con la que pretenden impregnar a una virgen para que entregue como fruto a su dios encarnado.

—Y ese dios que quieren traer no será de los buenos, entiendo...

—Las consecuencias de la llegada de ese tenebroso mesías serían peor que la muerte para el ser humano, nuestras almas quedarían eternamente encarceladas en la rueda del Samsara y viviríamos una eterna prisión de donde jamás saldríamos, un lugar donde el dolor, el sufrimiento y la desesperanza serían la eterna constante. Debemos impedir a toda costa que generen materia oscura estable en esta dimensión. Supongo, señor Ofiuco, que ahora se estará preguntando qué papel juega usted es todo este drama.

—Pues, a decir verdad, sí. Aparte de vestirme de monje budista y disfrutar de vacaciones pagadas... No tengo ni idea de cómo puedo ayudarles. Como comprenderán, me he quedado de piedra. Víctor, una persona que solo yo conocía, del que no hablo con nadie desde los catorce o quince años... Creo que me tienen que dar ustedes muchas explicaciones.

—Su trabajo es sencillo: entrar en las instalaciones de los Guardianes, situadas en la sexta planta inferior, a cien metros bajo tierra, y una vez allí reprogramar sus magnetrones para su completa destrucción. Si ellos consiguen modificar el ADN del mesías, el infierno de Dante será el Lago de los Cisnes comparado con lo que vendrá, utilizando un léxico accesible a usted...

—Y ¿por qué no va uno de ustedes?

—Asmodeo nos detectaría, detectaría nuestro poder enseguida. Debe ser usted, que es el que ha programado toda la red cerrada para que nadie la ataque desde fuera. El ITER y el CERN son redes gemelas y sus sistemas informáticos son gemelos, usted conoce bien el *software*, pese a estar separados físicamente muchos kilómetros.

—Bueno —Matthew dudaba—. Mi trabajo principal estaba en el ITER, aunque incorporaba a los sistemas del CERN las mismas pautas con alguna variante en su *hardware*, pero en esencia, sí, los dos sistemas son clones. Imagino que habrán cambiado mis claves de acceso y es muy difícil piratear mi propio código. Después de enterarse de mi huida lo habrán cambiado todo, supongo.

—¿Me va a decir usted que no dejó una puerta trasera en él código? —preguntó el maestro Sheng. Matthew se mordió el labio sonriendo.

—Me conoce realmente bien, señor mago —contestó.

—El CERN lleva años al servicio de los Guardianes, por eso han instalado el complejo en Suiza —intervino Perenelle—, un país muy solidario legalmente para sus intereses... Debemos introducirnos en el CERN desde sus túneles. Una compleja red que atraviesa una zona entre los dos países. Así eluden constantemente las aduanas vigiladas. Por esos túneles, a 100 metros de profundidad, pasan ilícitamente enormes cantidades de divisas, oro, sicarios, agentes a su servicio y otros valiosos bienes. La seguridad es privada y, con la excusa de la investigación científica, aumentan sus, ya de por sí, vastos recursos financieros y sus peligrosos recursos humanos. Según nuestros últimos informes estamos jugando a contrarreloj, el tiempo nos alcanza.

El maestro caminó unos pasos, pensativo, y miró a Perenelle. Ella negó con la cabeza varias veces, no quería que dijese lo que diablos fuera que estuviera pensando.

—Llévale esta noche.

—¿Seguro? —insistió Perenelle.

—Es necesario y tenemos poco tiempo.

5

El Urusdahur

Perenelle intentó tranquilizar a Matthew y le propuso dar un paseo en moto de nieve. A veces dejar que la nieve y el frío te corten el rostro hace que se te aclaren las ideas. Recorrieron unos cuantos kilómetros hasta un mirador desde donde podían verse los Alpes, uno de los lugares más altos de la cordillera. Bajaron de las motos y subieron escalando unos metros hasta la cima.

—Mira, Matthew, la altura da hambre, ¿no?, como si te hubieran hecho un agujero en el estómago —decía Perenelle mirando al horizonte—. Yo vengo aquí muchas veces, me ayuda a relajarme, a estar tranquila.

Se sentaron sobre uno de los salientes sorteando el primer vértigo. Era una sensación de libertad parecida a cuando Matthew buceaba por el Pacífico con Samuel. Como pertenecer a algo superior a uno mismo, la naturaleza, algo divino. Montañas majestuosas que estaban por encima del tiempo, de los avances, de las patrañas capitalistas. Que seguirían ahí cuando otras razas de hombres o de criaturas habitaran la Tierra dentro de cientos de años.

—Debes ayudarnos, lo sabes; aún no estamos seguros de que las sospechas que tenemos sobre tus padres sean ciertas, pero no estás aquí por casualidad. Si los dos maestros te han llamado es porque han visto en ti cosas que ni siquiera tú sabes. Detrás de todo rebelde no hay más que un niño que pide comprensión, que pide apoyo. Sheng y Nicolás llevan obsesionados con tu búsqueda desde hace años.

—Ya... es muy fácil decirlo, Perenelle, saber lo que uno es sin pararse a pensar. Pero no sé si prefiero morir a convertirme en otra persona, en alguien que no soy. Si me hubieran querido matar lo hubieran hecho.

—Asmodeo no sabía quién eres. Ahora sí. Desde que has huido han caído muchos de los nuestros y sabe que eres el que estábamos buscando. La muerte nos llegará, tarde o temprano, cuando sea nuestro momento, pero todo lo que podamos hacer para alargar la vida es necesario.

—¿Es verdad que tienes casi setecientos años?

—Sí, ¿te sorprende?

—No sé, quizá sí, a estas alturas ya no me sorprende nada. Hasta que me pueda enamorar de una señora que podría ser mi tátara-tátara-tátara-abuela.

—No confundas el deseo con el amor, hay que tener respeto por esas cosas. No es fácil enamorarse.

—¿No? —Matthew rio haciendo memoria—. Pues a mí me pasa muchas veces... Y ¿si no os puedo ayudar?

—Pues te dejaremos en paz, donde nos digas, intentaremos pararles con nuestros medios y tú te sentirás un desgraciado lo que te quede de vida, huyendo el resto de tu existencia y pensando que por una sola vez tuviste la oportunidad de cambiar las cosas, de salvar al mundo y encontrar la paz que tanto anhelas, y no lo hiciste. O también puedes esperar a que te maten los Guardianes en cualquier momento. Levantarte cada mañana y mirar por la ventana pensando si será ese el preciso instante en que todo termine.

—¿Cómo es vivir tanto tiempo?

—Vivir es siempre vivir, no te das mucha cuenta. ¿A ti no te pasa? ¿No tienes a veces la sensación de que el pasado no existe? En ocasiones pienso que he vivido la vida de otras personas. El problema está en los primeros años, cuando pierdes a todas las personas que quieres. Piensas que tu mundo se muere con ellos y no deseas continuar. Yo siempre tuve a Nicolás, cuando lo vives en pareja es más fácil.

—¿Ya no es tu marido?

—El amor se agotó. —Perenelle sonrió—. Nos dimos cuenta de que todo lo que habíamos pasado nos había convertido casi en hermanos. Eso fue hace como unos trescientos años. Es la persona a la que más quiero y respeto, daría mi vida por él y él la daría por mí, pero ya no nos amamos.

—Y ¿nunca os separasteis?

—Sí, decenas de años estuvimos sin vernos, viviendo, viajando... pero al final necesitábamos, aunque amásemos a otras personas, volver a ser nosotros mismos y estar con la gente que entiende nuestra esencia.

—Sabes que no me creo esa historia, pero me gusta hacer que te creo, que eres eterna, que has vivido la revolución francesa, el descubrimiento de América... es de locos ¿no?

—Sí, creo que estamos un poco locos. En la hermandad hay algunos mayores que yo, el maestro Sheng, por ejemplo; él nos enseñó a tener un objetivo, un destino, trabajar por el bien de la humanidad hace que quieras seguir viviendo.

—Es una lástima amar a las personas que sabes que se van a morir.

—Está la posibilidad de tomar el elixir.

—¿Todo el mundo puede hacerlo? ¿Cualquier persona?

—No, solo los iniciados. Los que han sido adiestrados para el bien y comprenden su poder. El profano que bebe de las aguas sagradas y desconoce los secretos para dominar el poder divino puede sufrir algo peor que la muerte, su efecto puede ser destructor.

—Entonces yo nunca podré tomarlo... ¿cómo dijiste?... Egoísta, fracasado, ¿no?

—No eres un fracasado, solo te falta conocerte a ti mismo. Sentirte en comunión con estas montañas, con el mundo. Debes sentir la conexión con todo, porque solo una cosa existe, el universo no está fragmentado.

Perenelle se levantó y cerró los ojos. De repente la nieve que estaba bajo sus pies se resquebrajó y el suelo se partió, su cuerpo cayó tan rápido que casi no dio tiempo a reaccionar. Matthew dio un salto y agarró como pudo la mano de la mujer, que caía hacia el abismo como un peso muerto.

—¡Sube! ¡Perenelle! —gritaba Matthew intentando hacer contrapeso con su propio cuerpo sobre la nieve. Perenelle dudó durante unos instantes, parecía que no quería agarrarse a Matthew. Al fin pareció volver en sí y le agarró con las dos manos, se sujetó tan fuerte como pudo. El *hacker* la subió gritando de esfuerzo y ella quedó tendida sobre él.

—¿Qué te ha pasado? —dijo Matthew con la respiración entrecortada—. ¿Por qué no querías subir?

Ella lo miró a los ojos fijamente.

—El destino. Morir. Podría haber sido hoy, ¿no?

—¡Estás loca! ¡Como una puñetera cabra! ¡Joder, qué susto me has dado!

—¿Darías tu vida por la mía?

—Casi lo hago, ¿no?

—Sí, casi lo haces.

Se miraron cerca, a los ojos, fijamente, unos instantes. Matthew buceó en sus ojos verdes el tiempo suficiente para ver toda la tristeza acumulada durante siglos, toda la sabiduría, el tiempo impregnado en cada tonalidad del iris. Allí supo que la amaría el resto de su vida, que nunca había conocido a una mujer como aquella y que su vida empezaba a tomar un rumbo, algo de sentido. Supo lo que Sheng y Flamel intentaban decirle, aquel motor del que hablaban. La energía, la emoción que movía al mundo. La respuesta que necesitaba.

Volvieron al refugio sin apenas dirigirse la palabra. Matthew estuvo más de media hora reflexionando bajo una ducha caliente, ordenando todos sus pensamientos. Perenelle se le aparecía como si fuera el único pensamiento posible. ¿Era eso el amor?, ¿podría ser que nunca hubiera estado enamorado hasta ahora? Era irónico enamorarse de una mujer de más de setecientos años. Dejó que el agua le recorriera todo el cuerpo y le hiciera entrar en calor. Cuando salió, encontró junto a su ropa una capa con capucha, de un color indescifrable, dependiendo de la luz recorría las tonalidades del negro y del violeta, un curioso efecto llamado *metamería*, difícil de conseguir en tejidos, y que había visto ya en la pintura de algunos vehículos. La magia de aquella indumentaria permitía incluso mostrar en la penumbra unas inscripciones doradas, como bordadas con un hilo invisible. Le gustó el juego y se la puso.

En los pasillos todo el mundo portaba su nueva indumentaria. Decidió seguir a un pequeño de grupo que bajaba charlando hacia las cuevas del interior. Allí encontró a Flamel.

—Vaya, Ofiuco —comentó el alquimista francés—. Veo que le han invitado al ritual.

—Si lo dice por la nueva bata, sí.

—Sígame. Quizá las cosas que va a ver puedan resolverle muchas dudas o le hagan correr sin mirar hacia atrás durante toda la vida.

Llegaron hasta un amplio salón iluminado con antorchas. En el centro, un círculo con varias estrellas y formas geométricas e inscripciones que Matthew no llegaba a entender. Lenguas demasiado antiguas para él. En unos minutos llegaron todos y cerraron las puertas. Anqi Sheng y Nicolás Flamel se situaron en el centro y comenzaron a susurrar palabras impronunciables, casi inaudibles. Trajeron a algunos estudiantes, algunos de los que Matthew había visto en clase de Sheng. Todos tenían una cinta en los ojos y se dispusieron en la parte central del círculo. Sheng fue uno por uno acariciando sus frentes hasta que, dormidos, quedaban suspendidos en el aire. Mientras, todo el recinto se llenó con el suave cántico que susurraban los presentes. Flamel, en el centro, leía los textos de lo que parecía ser un libro sagrado, al tiempo que el mago chino se deslizaba de un lugar a otro, como flotando, haciendo señales a los elegidos para el ritual. Perenelle se acercó a Matthew y le cogió suavemente de la mano. Los dos se miraron durante unos segundos y los dos supieron lo que el otro nunca diría, pero entendieron todo lo que sentían. Esa pureza que tiene el amor rejuvenecido, nuevo, limpio, sin objetivos. Flamel sonrió, él había amado a Perenelle, tanto que siempre entendió que ella era un ser libre y que él no podría retenerla eternamente. Se conformaba el sabio alquimista con poder amarla cada cien o doscientos años. Lo que dura un mortal. Él no quería volver a enamorarse de una mortal, ya lo había hecho y había sufrido tanto que casi puso en duda su lucha por el bien. El paso del amor al odio es tan ligero como una pluma ondeada por el viento.

Sheng invocó a los cuatro elementos naturales. De la nada comenzaron a aparecer vientos, arenisca, luces, llamas, partículas de agua que se movían alrededor de sus manos. A medida que aumentaba la intensidad de sus oraciones los elementos iban formando un todo rojizo con un brillo tan fuerte que costaba mirarlo sin entornar los ojos. A pesar de su fingido escepticismo, Matthew, tuvo que apretar con fuerza la mano de Perenelle. Interiormente no quería creer lo que estaba viendo, pero no podía dejar de mirar y sentir la verdad del poder del mago y de la comunidad de los Adeptos. Perenelle lo tranquilizaba acariciándole levemente la piel con el pulgar. Sheng compuso una inmensa bola formada por los cuatro elementos y desató un quinto estado de la materia sencillamente incomprensible, un pequeño planeta giratorio encima de sus manos; y en un momento dado, cuando la tensión de los cánticos y la emoción se respiraban en el ambiente, la lanzó por toda la estancia y atravesó el pecho de todos los que estaban tumbados en el vacío. Les unió en comunión con unos rayos dorados que partían de sus corazones. En unos segundos todo desapareció, los estudiantes elegidos volvieron a despertar y a descansar sobre sus pies. Flamel y Sheng se abrazaron felices y todos aplaudieron.

—¡Bienvenidos a la hermandad! —dijo solemne el maestro Sheng.

A partir de ahí todo fue júbilo. Todos comenzaron a gritar y a abrazarse. Los elegidos, los que habían comulgado con los elementos, estaban radiantes de felicidad. Perenelle miró a Matthew y le sonrió. Por fin los Adeptos habían aumentado el número de hermanos para luchar contra el mal.

—Ya están preparados para tomar el elixir —dijo pletórica—. Ahora ya son de la hermandad.

—Ahora debes venir —interrumpió Sheng, que se había acercado a la pareja—. Ahora debes elegir.

Flamel, Perenelle y Sheng le llevaron a una sala interior, más oculta aún que la enorme cueva. El lugar más recóndito del complejo alpino, una especie de pequeño laboratorio antiguo, muy antiguo, de miles de años. Parecía no haber sido construido para un humano, como si los utensilios hubieran sido diseñados para otro tipo de animales, otra raza más evolucionada que los humanos.

—¿Me vais a operar de las anginas? —bromeó Matthew nervioso.

—Debes decidir —dijo Sheng mirándole a los ojos—. Ahora es el momento. Antes de que la luna entre en el segundo estadio. Vas a convertirte en otra persona, vas a conocer la bondad, pero si no estás preparado tu sufrimiento podrá ser el dolor más infernal.

—¿Podría ser temporal? —intentó bromear Matthew—. A mí me gusta mi cara, no sé... algo puntual... Cambio de aspecto, hago la misión y luego vuelvo a ser yo otra vez.

—Nunca volverás a ser el de antes, cambiarás, por dentro y por fuera, y ya no volverás a ser lo que conocías —comentó preocupada Perenelle.

—Bueno, pues me cambiáis las huellas dactilares, me quitáis un par de defectos... ¿puedo pedir?... Y luego vuelvo a ser yo, pero con mis mejoras, ¿no?

—Decide —prosiguió Sheng, sin hacer caso del tono jocoso—. Todo puede hacerse con la piedra, tan solo debes darle tu palabra de llevar a cabo la misión.

—¿Y lo de ser eterno? —volvió a preguntar Matthew.

—¿Has visto a los nuevos miembros de la hermandad? —apuntó Flamel—. Son chicos que llevan más de quince años preparándose para recibir el elixir, para que no les destruya.

—¿Quién fue mi padre, maestro Sheng? —preguntó Matthew. Nadie se esperaba esa pregunta, todos se quedaron un poco perplejos mirando al maestro. El mago se sentó; parecía reacio, como si no quisiese contar aquello que sabía.

—¿Por qué preguntas eso ahora? —dijo Sheng.

—Creo que vosotros sabéis algo que yo ignoro. Sé que hay algo más en toda esta historia, reconozco que debo estar allí para hacer fracasar el proyecto, que conozco todo el material informático... pero me estáis ocultando algo que necesito saber. Cualquier *hacker* os valdría. Decidme la verdad. Necesito saber la verdad para confiar en vosotros.

Los tres se miraron y se quedaron unos segundos en silencio. Nadie sabía si debía contar aquella historia, el pasado remueve demasiadas cosas. Matthew había analizado todo, sabía que se perdía un detalle en toda aquella telaraña. No quería sentirse engañado. Sí, aquellos tipos eran inteligentes, quizá los tipos más inteligentes a los que se había enfrentado, pero él era Ofiuco, el mejor, y era el mejor por detenerse en los pequeños detalles, esas pequeñas cosas que a casi todos les pasan desapercibidas.

—Recuerdo a tu padre —dijo Flamel—. Lo conocí hace más de trescientos años; era un tipo audaz, le gustaba jugar con la vida y la muerte más de lo que un Adepto debería. Siempre fue demasiado independiente, quizá ese fue su problema, pero nadie puede huir de su propia esencia. Las virtudes de cada uno son luego sus propios defectos. Nunca entendió las reglas. Tu padre... Tu padre se llamaba Johann Conrad Dippel, pero se hacía llamar Democritus.

Matthew lo sabía, algo dentro de él lo había sabido desde que conoció a aquellos alquimistas. Aquellos nombres resonaron en su interior como si hubieran estado esperando años a ser nombrados. Sabía que no solo le habían seleccionado por sus capacidades con las computadoras, eso era algo ridículo, había decenas de *hackers* buenos, quizá no tanto como él, pero suficientemente preparados como para entrar en cualquier empresa. ¿Por fin había llegado la hora de comprender esa energía que dormía dentro de él? ¿Aquel impulso interior que parecía tener vida propia?

—Conrad, tu padre, obtuvo la piedra casualmente. ¿Sabes de qué hablo?... Tu padre tenía la capacidad de analizar el entorno, de fijarse en los detalles que a todos pasaban desapercibidos. Fabricó increíbles explosivos con ingredientes convencionales, descubrió avances en la medicina que mejoraron la vida de los mortales, a quienes dio esperanza... Por no hablar de sus mejoras técnicas en las tinturas... Pero su obra magna fue la obtención de una rara mutación de la piedra filosofal capaz de transferir la propia alma a otros cuerpos. Jugaba a ser dios y eso le generó muchos enemigos, entre ellos algunos miembros de los Guardianes, para los que no pasó desapercibido. Al contrario, con ellos mantuvo numerosos conflictos de los que salió siempre victorioso, o..., mejor dicho, casi siempre.

—¿Qué quieres decir con «casi siempre»? —preguntó Matthew todavía algo asombrado, intentando asimilar todo lo que le relataba Flamel.

—Los Guardianes sabían que Conrad tenía una debilidad: el amor. El amor es algo que nos puede volver vulnerables o locos. Hay que tener cuidado cuando tienes enemigos poderosos.

—¿Mi madre?

—Tu madre, sí, Matthew, Fanny Kemble, una de las mujeres más atrayentes e inteligentes que he conocido en mi vida, aparte de mi Perenelle, por supuesto. —Perenelle sonrió levemente; el comentario no le hacía mucha gracia—. El plan fue algo complicado, pero tu padre era muy cuidadoso, no se dejaría engañar fácilmente y ellos lo sabían.

—¿Le traicionó?

—No, nunca le traicionó. Se amaron como adolescentes los años que estuvieron juntos. Y ellos lo utilizaron para que Conrad bajase la guardia.

Matthew interrumpió a Flamel.

—¿Estás diciendo que mi madre fue una trampa de los Guardianes para acabar con mi padre?

—Si ella se hubiese vendido voluntariamente, tu padre lo habría detectado enseguida. Cuando Conrad y Fanny se conocieron el amor surgió inmediatamente. Ellos lo habían estudiado tanto tiempo que sabían todos sus gustos, todas sus costumbres. Simplemente les hicieron conocerse, nada más. Apostaron todo a una carta. Una calle, una cita, dos personas esperando en el mismo lugar a personas diferentes que nunca llegaron. Una mirada, una conversación. Esperar que todo pareciese una casualidad. Escoger entre miles de mujeres, miles de tipos, hacer un estudio para que Conrad reparase en ella. Él, que sabía que no podía enamorarse, para no ser débil. En aquellos tiempos nos veíamos con cierta frecuencia. Yo intenté avisarle, nunca he creído en las casualidades, pero tu madre parecía amarlo igual que él a ella. La observé, la examiné y nunca encontré nada que pudiera llevarme a sospechar que sería la herramienta de su propio final. Simplemente estaban hechos el uno para el otro.

—Yo sí creo en las casualidades, de hecho, hasta que os conocí creía en ellas fervientemente —añadió Matthew con ironía—. La verdad, me interesa saber el final de esta historia, pero me es difícil creer que también yo haya nacido hace cientos de años. Cada día me siento más viejo, más gastado, ojalá pudiera correr como hace años, o beber ron sin que me atacara el hígado por la mañana, como antes.

—En nuestra lucha, no —continuó Flamel—. En nuestra lucha no podemos permitir las casualidades. Fanny era demasiado ideal para él, como si alguien hubiera definido a la perfección los gustos de Conrad y los hubiera materializado.

—Quizá mi... «madre» también buscaba algo así, como esas citas de Internet donde rellenas tu perfil, pero a lo medieval, a lo antiguo

—Tu madre había tenido un pasado complicado, no había tenido una vida fácil. Y tu padre colmaba todos sus deseos, no los materiales, esos no son importantes cuando te dedicas a esto. Ella obtenía de tu padre la tranquilidad, la estabilidad. Además, tu padre era muy apuesto en aquella época.

—Gracias por lo que me toca —añadió Matthew.

—Sé que tú no crees en estas cosas, que apenas puedes tomarte nada en serio, pero ahora lo vas a entender todo. Tu falta de fe y tu banalidad tampoco son fruto de la casualidad. Una tarde en la que Conrad trabajaba, tu madre se presentó en el laboratorio de tu padre. Aquel día estaba tan contenta porque iba a anunciarle el embarazo de su segundo hijo, tu hermano, que compró el vino preferido de Conrad y cocinó una cena romántica. Lo habían pasado mal con el accidente del primero, tú, un suceso inexplicable que había postrado al pequeño en un coma irreversible siendo tan solo un niño. Pero entonces la medicina no era como ahora, y Conrad estuvo siempre convencido de poderte devolver la conciencia, era su obsesión. Democritus siempre pensó que los responsables de aquello habían sido los Guardianes.

—¡Bien! —Matthew dio una pequeña palmada—. ¡Ahora soy un zombi!, podemos hacer una película en la que me levanto de entre los muertos y...

—¡Ten respeto! —exclamó cortante Sheng—. Lo que te está contando el maestro Flamel es la verdad de tu vida y a ti parece no importarte. Intenta callar y buscar la fuerza de sus palabras.

Matthew se sentó y suspiró. Por unos instantes sintió que jamás había tenido un padre, una figura que intentase educarlo para hacerle mejor. Se encontraba mareado, como si algo en su interior se removiera. Decidió pedir disculpas y pidió a Flamel que prosiguiese con su relato. Empezar a creer de una vez todas esas historias de brujas y magos que parecían encontrar un hilo de veracidad en su interior. Miró a Perenelle y ella asintió. Ella también sabía que aquel relato podría afectarle, pero debía escucharlo. Todo el mundo debe saber de dónde viene.

—Aquella noche tu madre compró unas preciosas copas de vino a un vidriero muy anciano de la ciudad, el mismo hombre que le fabricaba a Conrad todos los objetos para la química. Un hombre que estaba totalmente fuera de sospecha. Aun así, Conrad hizo que su perro las oliera, y también la botella de vino, para asegurarse. Durante años había adiestrado a ese animal... no recuerdo ahora su nombre... un perro negro, mediano, muy vago, que siempre estaba tumbado en el laboratorio de tu padre. Sabía distinguir cualquier veneno, cualquier sustancia. A veces nos hacía demostraciones con elementos químicos que apenas se conocían, y el perro se sentaba y ladraba cuando intuía que había alguna sustancia peligrosa. Era infalible. Prosiguieron con la celebración, con la cena, y ella, Fanny, tu preciosa madre, le dio la noticia del embarazo. No pudieron contener su alegría, no es que no te quisieran, al contrario, te habían venerado, te habían querido más que a ningún otro ser sobre la Tierra, pero tu *muerte* les había dejado sumidos en un mar de tristeza. Quizá esa nueva vida que llevaba en sus entrañas podría devolverles la alegría de vivir, la que habían perdido con tu peculiar fallecimiento. En unos minutos el veneno invisible comenzó a hacer efecto. Fanny empezó a sentir un dolor abdominal fuerte y convulsiones, un efecto doloroso y largo hacia la muerte, como la estricnina. Quizá fuera algún derivado incoloro, inodoro, nunca lo sabremos. Conrad inmediatamente se dio cuenta de que habían sido envenenados. Él también comenzó a sentirse mal, pero su cuerpo estaba mucho más preparado para el veneno que el de Fanny. De pronto, mientras se arrastraba por el suelo, sintió por primera vez la muerte cerca. Fanny murió en sus brazos entre convulsiones y vómitos, en un intento desesperado por aferrarse a la alegría inmensa que sentía, las ganas de vivir. Una pequeña lágrima salía de sus ojos enrojecidos hasta que exhaló su último aliento. Conrad pensó en quién habría podido traicionarles, cuál sería aquel veneno indetectable. Entonces tuvo una idea, recordó el cuerpo de su hijo, tu cuerpo, en el laboratorio, el cadáver al que estaba intentando volver a la conciencia. Un cuerpo que todavía respiraba, le había dado todo tipo de mezclas para que mantuviera la respiración y así no perder sus órganos vitales, pero que estaba muerto en esencia. Solo podía hacer algo que muy pocos habían conseguido: vivir, pero en otro cuerpo. Adelantar el final de lo que llevaba muchos meses preparando.

—¿Mi padre no murió? —preguntó Matthew algo más serio.

—Creemos, Matthew, que tú eres el propio Conrad. Tu padre llevaba años trabajando, investigando la Piedra Magna, cuyo líquido era capaz de transferir la conciencia a otro cuerpo. Transmutar el alma. Se decía que solo algunos de los viejos maestros lo habían conseguido y otros contaban extrañas aberraciones producidas por un mal uso de la piedra. Pero Conrad pensó en intentarlo como última solución a la muerte. Llegó a duras penas hasta el laboratorio y abrió el pequeño metal donde reposaba la Piedra Magna. Se acercó al cuerpo de su hijo y bebió el líquido que destilaba su interior. Sintió la muerte más cerca, todavía más cerca, sabía que quedaban solo unos segundos para que comenzaran las convulsiones y su organismo ya no respondería. Observó a duras penas al cuerpo de su hijo e introdujo unas gotas en sus labios. Con un bisturí se hizo un corte en la muñeca y dejó caer varias gotas de sangre sobre su boca, asegurándose de que penetraran bien en el interior de su hijo. Quizá si esas gotas no estaban envenenadas todavía podría conseguir la transmutación. De alguna manera era una desesperada opción para que algo sobreviviera, alguien de aquella familia... Quizá algo quedaría. Pronunció las palabras secretas, las que nadie sabe, y murió. El cuerpo de Conrad cayó al suelo y sufrió los mismos dolores que Fanny, su último pensamiento, su verdadera pasión. Lloró al morir, no por la vida que había tenido, sino por lo que ya no podría disfrutar con Fanny, su único amor. Unos días más tarde fui a visitaros y me encontré la extraña situación, llamé a Sheng y juntos reconstruimos el final de la escena.

—Y yo, ¿quién soy entonces? ¿Quién me rescató?

—Cuando llegamos tu cuerpo ya no estaba —prosiguió Flamel—, había señales de que te habías levantado y habías salido por la puerta del laboratorio que daba al exterior, a la ciudad. Te buscamos por todas partes, pero nunca te encontramos. Eras solo un niño, creemos que tu cerebro no estaba preparado aún para asimilar todo el potencial de tu padre. Imaginamos que vagarías unos días asustado y aturdido, sin saber muy bien la diferencia entre la muerte y la vida.

—Tu padre —intervino Sheng— había ejecutado el ancestral rito del Urusdahur, el conjuro secreto que nadie conoce, el que utilizaban los sacerdotes sumerios para conseguir la inmortalidad de los reyes. La transferencia no se hizo del todo bien, quizá por el efecto del veneno. Algo falló... la esencia de Conrad está en ti, en el cuerpo de su hijo, pero quizá la transferencia no fue completa. Algo se perdió en el camino, la sabiduría de Conrad, el amor por Fanny.

—O quizá —comentó Perenelle— Conrad lo ocultó en tu interior para que nosotros pudiéramos encontrarte y así protegerte de los Guardianes. Pensando quizá que ellos irían a comprobar si la muerte era completa.

Matthew se levantó y se frotó el pelo un par de veces. Estaba demasiado confuso. Él quería creer, pero todo aquello era demasiado increíble.

—El único recuerdo que conservo es de esta vida, la de ahora, de la primera vez que entré en una inclusa. Luego fui de una a otra hasta llegar a Nueva York. La verdad... ¡Vaya historia!... ¿Me queréis decir que yo soy mi padre y su hijo a la vez? Comprenderéis que todo esto es una locura. Solo me falta la paloma, y ya soy la Santísima Trinidad.

—Tu cuerpo solo había sufrido un accidente —respondió Flamel—, no tenía grandes daños en los órganos vitales. Tu padre, como ya te he dicho, se había obsesionado con devolverte el ser, a ello aplicaba todos sus conocimientos. Lo que no logramos entender es por qué no recuerdas nada de todo aquello. Ni las palabras de los sabios... Pero en ti hay mucho de Conrad. Los que le conocimos lo sentimos.

—¿Por qué no me persiguieron los Guardianes?

—Lo hicieron —dijo Sheng seguro—. Fuimos a ver al vidriero. El viejo nos había traicionado, hacía tiempo que trabajaba para los Guardianes, para Asmodeo. Pero su aspecto apacible le hacía estar fuera de sospecha. Él había impregnado el veneno en las copas. Confesó todo cuando fuimos a visitarle.

—De manera poco amistosa, imagino... —apuntó Matthew.

—A veces es necesario aplicar ciertas técnicas para conseguir información, sobre todo cuando está en juego algo tan importante como la venida del anticristo. —Sheng dudó si relatar lo que estaba pensando y decidió proseguir obviando ciertos detalles—. El caso es que aquel anciano ya no volvió a traicionarnos. Lo que sí supimos es que Asmodeo aún no sabía nada sobre la muerte de la familia. Lo que nos daba un margen. Dejamos vigilancia con el anciano, para que no contara nada, conseguimos un cadáver de un niño que debía tener más o menos tu edad y recolocamos toda la escena. Luego era tan fácil como preparar bien el bulo y relatar la macabra escena que había encontrado la policía al llegar al lugar del crimen. Los Guardianes creyeron las historias, la muerte de todos los miembros de la familia, y Asmodeo nos quitó el desagradable trabajo de acabar con el viejo. Roma no paga traidores, y Asmodeo tampoco. Los Guardianes fueron los que acabaron con el anciano lanzándole un dardo envenenado sin que nuestros hombres pudieran hacer nada por su vida. Pobre y merecido final para un traidor. A los pocos días la noticia saltó a todos los periódicos locales: un importante y misterioso millonario, junto a una hermosa escritora, artista de renombre, habían muerto envenenados. Fue el propio Asmodeo el que certificó tu muerte. Nosotros nos fingimos indignados y así lo hicimos saber en todos los mentideros. Los Guardianes quedaron satisfechos, pensaron que otra pieza más había caído en la larga batalla. La venida del dios oscuro estaba más cerca, lo más profundo del Hades empezaba a removerse preparando la resurrección. Hace años encontramos un extraño documento escrito en código binario con unos apuntes en los laterales de las páginas. La letra era la de Conrad, la conocía muy bien de estudiar muchas de sus formulaciones y teorías. Esto sucedió hace muchos años, en los años 70. Entonces supe que él no había muerto.

—Las casualidades no existen —comentó Flamel—. Nos hiciste llegar ese documento desde tu parte consciente, antes de volver a convertirte en lo que eres ahora. Luego fue duro buscarte por todo el planeta. Había muchos posibles candidatos. Cada uno con un Adepto a su cargo. El tuyo fue Víctor, pero eso no lo supimos hasta muchos años después. Y durante todo ese tiempo te perdimos la pista de nuevo.

Perenelle se acercó a Matthew e intentó calmarle. Miró a los alquimistas y les hizo una señal para que pausaran su relato. Quizá era demasiada información, demasiado movimiento dentro del cerebro y ella no quería que se colapsara. Fuera lo que fuera lo que hubiera de consciente en el interior de Matthew, debían esperar a que él mismo escuchase su corazón, aquello que latía dentro de sí y le hacía discernir entre la verdad y lo no vivido. Si en verdad todas sus sospechas eran ciertas, Matthew era realmente hijo de Conrad, un padre y un hijo que se habían fundido en un mismo cuerpo.

—En el universo —intentó relajarle Sheng—, las estrellas más brillantes son las que orbitan en sistemas con dos soles y tú, Matthew, has brillado mucho, más que casi ningún humano. En tus varias vidas has experimentado cosas que nadie ha vivido. Has conocido muertes y misterios que nadie antes había padecido. No es tu pasado lo que importa, solo el presente es moldeable. Y nuestro presente pasa por ti.

—Y... ahora, ¿qué se supone que debo hacer? —comentó Matthew con la mirada perdida en el suelo.

—Tienes que suministrarte nuevamente el Maná de vida —continuó Sheng—, debes beber el líquido inmortal. Pero no podemos iniciarte, tú ya eres Adepto. No podemos abrir una puerta que ya está abierta, podríamos llevarte de nuevo a una oscuridad mayor de la que seríamos incapaces de protegerte. Podrías perderte en las Mil Dimensiones, en las Mil Puertas.

—¿Quieres decir que tengo que beber ese brebaje nuevamente? Vamos, que lo bebí hace años...

—Todo parece indicar que sí —respondió el maestro chino—. Si fallamos morirás, pero si eres Conrad recuperarás su magia y su sabiduría, quizá no enseguida, pero poco a poco.

—Nunca hemos intentado suministrar nuevamente la piedra a un Adepto perdido —apuntó Flamel—, no sabemos si eso acabará con tu vida o la prolongará.

—Pero la decisión la debes tomar tú. —Perenelle le miró suavemente y deslizó la yema de sus dedos por el cabello de Matthew.

El *hacker* se levantó respirando hondamente. Su falta de fe se había tornado en creencia ciega en aquellas personas. En su interior resonaban voces antiguas que le removían la sangre y elevaban su temperatura. Algo estaba cambiando en su interior. La muerte tampoco era una circunstancia que le asustara demasiado, quizá así podría librarse de todos esos miedos nocturnos que le agarrotaban cuando menos se lo esperaba, la falta de sueño. El mago chino abrió un pequeño mueble lleno de cajones. Cada cajoncito estaba pintado de un color diferente. Cogió una pequeña ampolla y se la ofreció a Matthew. Agarró aquel curioso frasco de cristal labrado con extraños leones que parecía contener un líquido rojizo, miró a los tres alquimistas y les pidió que lo dejasen solo en aquella estancia.

—Piensa, Matthew. —Perenelle le acarició las manos—. Yo lo he visto en ti, he visto la inmortalidad en tus ojos. Sé que ni siquiera tú sabes las vidas que llevas dentro, pero eres de los nuestros. Lo sabes, algo en tu interior debe tener el recuerdo de la eternidad, del elixir.

—Te juro que no recuerdo nada, Perenelle. —Matthew se desesperaba—. ¿Y si os equivocáis? ¿Y si yo no soy él? ¿Y si solo soy un chico huérfano problemático, que se crio en los suburbios y que no tiene nada de especial?

—Es fácil, Matthew —dijo Sheng poniendo fin a la conversación—. Si en tu interior está el maestro, él te guiará para tomar la mejor decisión.

Los tres salieron dejando a Matthew solo. Sabían que había dos posibilidades si tomaba el líquido que estaba dentro de la ampolla: si no era Conrad moriría en unos minutos y si era el maestro volvería a su ser primigenio, quizá no recordase todo, todas sus vidas, todos los años vividos, pero volvería su esencia. Su verdadero ser. Perenelle estaba muy nerviosa, se daba cuenta de que comenzaba a sentir algo especial por Matthew, si él moría iba a volver a sufrir el dolor que se había prometido no volver a sufrir. Sheng estaba tranquilo, como siempre, miraba al horizonte y se quitaba unas pequeñas pelusas de la ropa. Flamel, por su parte, tampoco experimentaba tensión alguna, a él la vida y la muerte no le parecían tan importantes, sabía que había algo más allá de lo terrenal. Si Matthew moría ya se encontrarían, de otra manera, en otras vidas, en otros universos.

Matthew salió, le miró unos segundos y cayó al suelo sin sentido.

—¡Matthew! —gritó Perenelle—. ¡Haz algo, Sheng! —gritaba en el suelo junto al *hacker*.

—No hay nada que hacer —dijo Sheng—. Lo que tenga que ser, será.

6

Ninguna paz es eterna

Perenelle revisaba el trozo de nieve que se había desprendido. Había cogido una de las motos y había vuelto al lugar donde se había enamorado de Matthew. No quería ver cómo moría, no lo podía soportar. Pensaba en lo descuidada que había sido volviendo a perder el corazón. No hacía más que pensar en lo idiota que era. Pero realmente no podía creer que muriese, él no, él era especial, estaba segura, ella intuía esas cosas, siempre le había pasado, como con Flamel. Veía lo que los otros no veían, los seres especiales que tenían esencias especiales, auras particulares que brillaban más que las demás. Al poco de llegar se sintió cobarde, no se perdonaría no haber estado con él en sus últimos momentos. Decidió volver. Cogió la moto y aceleró todo lo que pudo en medio de una ventisca que comenzaba y amenazaba con ser de las peligrosas. En un par de kilómetros vio una extraña figura caminando a duras penas sobre la nieve y se acercó a ella. Era un hombre.

—¿Necesita algo? —gritó Perenelle—. ¿Está usted bien?

—Sí, sí... ¡Déjeme! —respondió el hombre mientras intentaba darse prisa por continuar.

—¿Max?, ¿eres tú, Max? —preguntó Perenelle tratando de identificar entre la ventisca una voz conocida.

El tipo se dio la vuelta y la miró. Era Max, Max Richebourg, el mayordomo de Flamel. Un hombre enigmático, poco comunicativo, que llevaba decenas de años al servicio del alquimista francés. Un hombre del que Perenelle nunca se había fiado, siempre con esas miradas esquivas, extrañas, demasiado amable, demasiado complaciente, demasiado perfecto para ser real. Era extraño verle en aquellas montañas. Nadie en su sano juicio iría caminando solo por ahí.

—¿Qué haces aquí solo? —siguió interrogando Perenelle, que, por más que lo intentaba, no entendía la situación—. No vas a sobrevivir a esta ventisca, sube a la moto.

Max la miró fijamente, se liberó de los guantes y se abrió ligeramente el abrigo. Perenelle lo miraba sorprendida, ¿acaso quería morir de frío?

—¿Qué te pasa, Max? ¿Qué haces?

Max sacó una pistola y apuntó a Perenelle. No parecía tener cara de querer hacer amigos, estaba nervioso, como si no contara con ese encuentro, como si le hubieran descubierto y tuviera ahora que modificar todos sus planes iniciales.

—¡Arrodíllate, Perenelle! —gritó Max apuntándola con la pistola—. ¡Joder, no podías haberte quedado en el refugio, como todos, con la puñetera fiesta! ¡Es que siempre tienes que estar entrometiéndote en todo!

—¿Me vas a disparar, Max? ¿Me vas a matar? ¿Por qué? ¿Qué has hecho?

—Ya sabes lo que he hecho, con tus sospechas y tus miraditas, siempre buscando un posible fallo.

—¿Eres...?

—Sí, dilo, soy un espía de los Guardianes. ¡Arrodíllate! ¡No me mires!

—Pero tú, Max, no puedes matarme, tú eres uno de los nuestros... ¿Por qué lo haces? ¿Por dinero?

—¿Dinero? —Rio Max nervioso—. ¿Para qué quiero dinero? ¡Poder, Perenelle, el poder que nunca me habéis dado! ¡Siempre tratándome como a un mayordomo, como a un don nadie! ¡Yo soy mejor que todos vosotros y ellos lo saben!

—¿Qué te han ofrecido, Max, sabes que Asmodeo no respeta a los traidores?

—Yo no he traicionado a nadie. Yo le sirvo... ¡No me mires!

—¡Eres un miserable! —gritaba de rodillas Perenelle intentando, mientras hablaba, idear una estrategia para salir con vida de aquella complicada situación. Morir no era lo importante, antes debía avisar a los suyos de la traición para que pudieran reaccionar.

—¿Desde cuándo, Max? ¿Desde cuándo has elegido ese camino?

—¿El camino del mal? —preguntó con ironía el mayordomo—. El mal es relativo, nada es bueno ni malo en sí. Vosotros decidisteis que erais el bien. Pero si vosotros desaparecéis ya no habrá mal ni bien, solo un bando que será el que dicte la historia. ¿Estás preparada para morir?

—Sí, hace tiempo. ¡Dispara! ¡Cabrón!

Entonces Perenelle sintió el frío del acero, la boca del revólver en su nuca. Respiró y se concentró. Aislar todos los sonidos, intentar manejar el tiempo como le había enseñado el maestro Sheng. El tiempo es solo un pensamiento, una sensación. Quizá no podría controlar los segundos, paralizarlos, como el maestro

Sheng, pero sí podría escuchar la respiración de Max, los latidos del corazón, sentir cómo se aceleraba el pulso cuando se tomaba la decisión final, la decisión de accionar el gatillo. Se concentró, sintió su propia respiración, el flujo de su sangre recorriendo su cuerpo, sus propios latidos. El color de la nieve se dividió en pequeñas partículas transparentes. Debía concentrarse, aislarse, sentir el vacío que había entre los objetos y los cuerpos. Max apretó el gatillo y Perenelle tuvo unas milésimas de segundo para girar levemente su cabeza y darse la vuelta. Como a cámara lenta dobló la mano de Max, que disparó contra su propio cuerpo una bala que le atravesó el corazón. Cayó al suelo.

—¡Max! —intentaba hacerle reaccionar mientras a él se le iba la vida—. ¿Qué has hecho? ¿Qué has hecho, Max? ¿Qué has contado? ¿Qué les has contado?

—Dile a Nicolás —el moribundo traidor apenas podía hablar—, dile que... siempre le admiré... siempre le envidié... no quise hacerlo, Perenelle, no quise... saben todo... todo... perdóname, perdóname...

Una pequeña lágrima de Perenelle cayó en la mejilla de Max. Nunca le tuvo cariño, pero había sido un Adepto, uno de los buenos. El mal está siempre al acecho y hacer el bien es tan difícil... Ella lo sabía. No era fácil estar siempre a la sombra de Flamel, de su pureza, de su sabiduría. Debía darse prisa, debía contar la noticia a todos para preparar la huida y también ver a Matthew, saber si todavía estaba vivo. Siempre huyendo, siempre sin rumbo fijo, siempre en guerra, de batalla en batalla sin descanso para vivir y poder respirar.

Perenelle registró a Max y encontró varios documentos de vital importancia, al menos esos estaban a salvo. El traidor tenía anotados los nombres de todos los que habían pasado las pruebas, los mejores alumnos de Sheng, para entregárselos a Asmodeo. Tenía apuntadas sus virtudes y sus debilidades pormenorizadamente. Así como las coordenadas del refugio de los Alpes donde se encontraban, quizá todavía estaban a tiempo. Llevaban unos años de regresión informática y les había funcionado. No compartían ningún documento que fuera de vital importancia para los Adeptos en la red para evitar los ataques de los Guardianes. Cualquier robo o ataque debía ser directo, sobre el papel. También habían restringido los móviles y cualquier comunicación que pudiera rastrearse por satélite. Esto ralentizaba un poco la información, pero impregnaba cualquier movimiento de una seguridad a prueba de *hackers*. Si Max llevaba aún esos documentos encima eso significaba que la información estaba, probablemente, a salvo. Pero debía darse prisa. Perenelle aún tenía el susto en el cuerpo, al fin y al cabo, matar a un hombre nunca es plato de buen gusto. Para alguien que busca el bien de la humanidad, matar a un hombre es como acabar con la esperanza.

Perenelle volvió al refugio tan rápido como pudo y habló con Flamel. Él no daba crédito, al principio, a la historia que le estaba relatando, pero cuando le enseñó los documentos cambió el gesto y negó varias veces con la cabeza con desesperación. Flamel sintió que estaba perdiendo facultades, pensó en cómo los Guardianes habrían contactado con Max y se preguntó desde cuándo estaba pasando información. Era una de las peores noticias, Max Richebourg había sido su mano derecha durante años, y, aunque no tenía acceso a todos los documentos secretos de la hermandad, sí tenía información muy delicada. Una información que, en malas manos, podría dar un giro al débil equilibrio en el que se encontraban las dos hermandades antagónicas.

—¿Qué ha pasado con Matthew? —preguntó Perenelle no queriendo saber la respuesta.

—Lo amas, ¿verdad? —Nicolás la miró fijamente.

—Sí.

—Ten cuidado, ya sabes dónde llevan estas cosas.

—¿No ha muerto, entonces? ¿Es Conrad?

—¿Muerto?... —Sonrió Nicolás —. No, está con Sheng, date prisa. Recuerda todo lo que hemos pasado. Si no es más que un mortal, vas a sufrir mucho. Y yo siempre estaré aquí para apoyarte.

Perenelle corrió tan rápido como su cuerpo se lo permitió, hasta llegar al laboratorio del maestro chino. Allí tomó aire, recuperó el aliento y se calmó. Llamó varias veces a la puerta. Alguien, un desconocido, abrió la puerta.

—Muy bien, ¿ahora vienes? —dijo irónicamente el desconocido.

—¿Matthew?

—Bueno... el maestro Sheng dice que ahora estoy a medio camino entre Matthew, Conrad y Michael Jackson. Vale, eso último lo he puesto yo.

Casi sin dejar que terminase, Perenelle se abalanzó sobre el nuevo Matthew y le besó en los labios. No fue un beso de amor, de esos lentos y con cámara circular, fue un beso fuerte, de rabia, de deseo de vivir, de alegría de verlo vivo. Luego la bella francesa lo pensó, se colocó la ropa e hizo como si no hubiera pasado nada.

—¿Lo has visto? —decía desde dentro Sheng—. Ha transmutado, pero no del todo, sigue conservando múltiples esencias. Pero casi todo su cuerpo está cambiando.

—Espero que no todo. —Matthew sonrió y Perenelle suspiró con desesperación.

—Veo que la tontería no se le ha quitado —comentó.

—No, eso no —afirmó suave el chino —, eso no, sigue siendo el mismo. Aunque le hemos preguntado varias fórmulas básicas y, casi inconscientemente, las ha resuelto. Quizá Conrad esté despertando, ¿quién sabe?

—Oye, Perenelle, podrías repetir eso, lo de hace un instante... el beso apasionado... es que antes me has pillado un poco de improviso.

—Ahora mismo estoy viendo los papeles que le has dado a Nicolás. —A esas alturas, a nadie le extrañaba que Anqi Sheng estuviera en varios lugares a la vez—. Es preocupante. Nunca me gustó Max, siempre se lo dije a tu marido, siempre, y él siempre trató de defenderlo. No era buen tipo, se olfateaba su infelicidad dentro. Y la infelicidad lleva a un lugar muy tenebroso, muy interno y tenebroso.

—Pareces más joven —dijo Perenelle observando la nueva fisionomía de Matthew.

—Su cerebro está brotando —continuó Sheng—. Su potencial está multiplicándose rápidamente. Su cuerpo debe adaptarse a los nuevos conocimientos, a las nuevas esencias. Debemos ponernos en marcha, Perenelle. Saldréis hacia el CERN y nosotros haremos los preparativos para comenzar la evacuación. Debemos buscar un lugar seguro, algún sitio que Max no conociera.

—¿Hay alguno? —inquirió ella dudando.

—Sí, hay uno que solo yo sé dónde está. Allí llevaremos a todos. Ahora id a ver a Thomas, está abajo —les indicó—. Debemos investigar todo lo que ha hecho Max antes de irnos. Cuando encontremos el cuerpo veremos qué recuerdos es posible extraer de su cerebro, gracias al hielo podremos leer todavía algunos. Espero encontrar algo...

Perenelle hizo como si el beso nunca hubiera existido, quizá un momento de descuido, de alegría compartida. Matthew caminaba junto a ella sonriente, pensando que era mejor no decir nada, una persona con tanto carácter como ella no iba a aceptar tan a la ligera el hecho de haberse descontrolado tan fácilmente.

Fueron a ver a Thomas. Este era un tipo de lo más extraño, apenas salía de la cuarta planta inferior del refugio, siempre ataviado con sus gafas de enorme cristal y con una bata blanca llena de lamparones que jamás había visto la luz del sol. Tenía todo tipo de mapas, de inventos, de pequeños artilugios y animales, algunos en jaulas y otros sueltos por ahí. A Matthew le resultó gracioso un pequeño ser parecido a un murciélago que se posó en su dedo.

—¡Cuidado! —exclamó Thomas colocándose las gafas en la nariz, gesto que repetía continuamente—. ¡Quieto!, si te mueves estás muerto. Él no te conoce. —Se acercó lentamente, como si estuviera cazando mariposas lo tapó con un trapo y lo agarró dándole unos golpes fuertes sobre una mesa—. ¡Te he dicho que no te escapes más! —le decía al extraño ser, que comenzó a exhalar un vapor verdoso que olía fatal—. ¡Cerrad los ojos!

Perenelle y Matthew cerraron los ojos y se apartaron unos pasos. Escucharon todo tipo de ruidos por toda la habitación, aullidos, gritos, golpes metálicos... hasta que todo se calmó.

—Ya está —dijo Thomas aliviado cogiendo aire—. Ahora te quedas en tu jaula y no sales hasta que aprendas a ser un poco más educado. —Los miró fijamente—. ¿Y vosotros? ¿Qué queréis? ¿Perenelle? —preguntó colocándose las gafas de nuevo—... Sí, eres Perenelle... estás más vieja —comentó mirándola muy de cerca.

—Vaya, gracias, Thomas. —Sonrió la mujer—. Veo que sigues tan sincero como siempre.

—O tan cegato —le guiñó el ojo Matthew.

—Nos manda Anqi —continuó ella tocando varios pequeños botecitos que tenía Thomas sobre la mesa.

—No...

—Ya, que no toque nada, ya lo sé, Thomas, nos conocemos hace trescientos años. Solo estaba mirando estos recipientes, ¿de qué son?

—Una nueva fórmula de ambrosía, pero la estamos perfeccionando, no está lista aún. Si se derrama una sola gota no sé lo que podría pasar...

—¡Qué estrés! —Matthew sonrió—. ¿Vives así, siempre a punto de morir a cada paso? Yo, entre tanto peligro no sé qué haría con lo patoso que soy.

—No hay peligros, no los hay. —Se volvió a colocar las gafas—. Si todo se queda en su sitio nunca pasa nada, no hay peligros.

—Vale, vale, y... ¿esto? —Matthew hizo el ademán de coger uno de los grandes frascos de la estantería y Thomas gritó asustado—. Era broma, Thomas, una broma.

—¿Broma? —corrió y observó el frasco con detenimiento—. Si lo hubieras tocado...

—Sí —le interrumpió Matthew—, habríamos muerto todos de una terrible explosión. —Thomas lo miró apretando los dientes y no dijo nada. Perenelle intentó disimular su risa ante las ocurrencias de Matthew; sin duda, aunque físicamente no era el mismo, aún había poco de Conrad en él.

—Bueno, hagamos lo que tenemos que hacer y marchaos —dijo Thomas apartando con sumo cuidado unas cosas de la enorme mesa de madera que estaba en el centro de la estancia y desplegando varios mapas—. Mirad, este es el plan. Si lo seguís paso a paso nadie os podrá encontrar. Los artilugios que os voy a dar solo os servirán para poder guiaros en la tormenta, bajar hacia la civilización. Luego tendréis que ir solos. Asmodeo no puede sospechar de nada que tenga olor a Adepto, y él huele a los Adeptos —seguía comentando mientras rebuscaba sobre la mesa—. Sí, debéis ir a esta iglesia, allí os están esperando.

Mientras Thomas hablaba, uno de los animales había conseguido abrir su jaula y revolotear por toda la sala. Thomas se enfadó y comenzó a gritarle. Pero el extraño animal, no contento con tirar varios libros y papeles, se dedicó a abrir otras tantas jaulas donde dormían otras criaturas que, al verse liberadas, comenzaron a salir. Thomas se puso muy nervioso.

—¡Salid! ¡Salid! —gritaba Thomas cogiendo a varios bichos por las patas y volviéndolos a meter en sus celdas—. ¡No hay peligros! ¡No hay peligros!... ¡Perenelle, saca de aquí a este... monstruo! —refiriéndose a Matthew—. ¡Él los ha puesto nerviosos!

Los dos salieron a toda prisa con los objetos que Thomas les había dado. Cuando cerraron la puerta soltaron una carcajada y acercaron el oído a la puerta para escuchar cómo el extraño inventor discutía con todos los animales. Sonaban golpes, frascos... pero ninguna explosión. Salieron para comenzar su misión.

7

HUMO EN EL AGUA

—¡Salta!

Perenelle se desesperaba en medio de la ventisca. Ya se lo había avisado: si lo piensas no lo haces. Mirar hacia abajo desde lo alto de una montaña helada en pleno temporal de nieve no suele ser el mejor modo de estrenarse en un ala delta. Matthew no estaba preparado para dar el salto, nunca se fio demasiado de esos artilugios, y menos ahora que sabía que venían del laboratorio de Thomas. La tela se inflaría sola al contacto con el aire y se moldearía con el viento para alcanzar la mejor resistencia ante el descenso.

—¡Salta, Matthew, ya oíste a Sheng, el tiempo va empeorar sobre los dos mil metros! ¡O lo hacemos ya o tendremos que bajar a pie!

Matthew dio un último suspiro, miró a la mujer que le estaba robando el corazón, agarró el metal fuerte con las dos manos, cerró los ojos y se impulsó ligeramente.

—¡A volar!

Perenelle en cuanto vio que Matthew perdía el miedo saltó también. Las telas de sus alas delta se armaron, tal y como había dicho Thomas. Una manera ultrasilenciosa y muy rápida de descender de los Alpes. Varias veces los golpes del viento los desviaron de la ruta determinada. Perenelle llevaba en la muñeca uno de los artilugios de Thomas, un GPS rudimentario y antiguo que nunca perdía la dirección hacia donde debían ir, una brújula a prueba de presión, indetectable para los satélites. Como insistieron Flamel y Sheng cuando se despidieron: nadie debía saber nada de aquel viaje.

Flotaron zarandeados por los vientos, respirando por las bombonas de oxígeno que llevaban asidas al traje ultratérmico que preservaba el calor corporal ante cualquier circunstancia adversa. Thomas tenía en su armario los últimos avances de los servicios secretos norteamericanos, nadie sabía cómo los conseguía. Quizá fuera él quien los inventaba. De vez en cuando salía del refugio un par de meses, sin dar muchas explicaciones, y luego regresaba con varios artilugios más, a veces demasiado incomprensibles. Thomas era de los más antiguos de los Adeptos, por eso Flamel y el maestro Sheng nunca se metían en su trabajo y, por supuesto, nadie sospechaba de su paso a los Guardianes. Asmodeo había matado a su mujer y a sus dos hijos hacía años y él juró vengarse cuando fue recogido por Anqi Sheng, con quemaduras en todo su cuerpo. Fue el único superviviente del incendio que sumió en cenizas todo el edificio. Los Guardianes le habían querido atraer hacia sus filas desde hacía tiempo, por su capacidad de invención, pero él había preferido permanecer independiente, hasta que Asmodeo cumplió sus amenazas.

Matthew se dejó llevar, observaba a Perenelle, que parecía mecerse con el viento como si lo hubiera hecho cientos de veces. Movimientos suaves, tranquilos. Al frente, con la tremenda ventisca, no se podía ver nada más allá de medio metro, así que debían fiarse de la brújula, que iba cambiando con la orografía del territorio como si tuviera un mapa programado por Thomas. Realmente era un acto de confianza, más de una vez pasaron a escasos palmos de algún risco o de algún saliente. Y Perenelle sonreía viendo los nervios de Matthew, que todavía no estaba acostumbrado a la inmortalidad, a ver la vida desde el silencio de la naturaleza, a sentir tu momento, el momento de tu muerte. Y ese no había llegado todavía. Todavía no.

Aterrizaron cerca de un pueblo a orillas del lago Lemán. Perenelle desmontó las alas delta y las escondió debajo de unas ramas. Se quitaron los trajes térmicos y las máscaras y fueron caminando por el pequeño pueblo como turistas, agarrados de la mano, sonriendo, con sus pequeñas mochilas, como si fueran a hacer fotos a los alrededores de Montreux, al igual que tantos visitantes que paseaban por la zona. Llegaron por fin al puerto dulce de Saint Gingolph. Thomas les había apuntado unas letras y unos números en un papel: VS 099G, y pronto descubrieron que era la matrícula de una de las barcas. La lona que la cubría parecía pegada, como si nadie la hubiera retirado desde hacía tiempo, y Perenelle decidió probar el motor varias veces para ver si tenía combustible. Matthew compró unas cervezas en un bar y se sentó en la pequeña embarcación imaginando unas vacaciones en el Mediterráneo, Perenelle con un escueto bañador y música de Deep Purple, «Smoke on the Water», que había sido compuesta cerca de allí cuando un tío del público lanzó una bengala al escenario donde tocaba Frank Zappa y las Madres y quemó el casino. En Montreux. Matthew pensó si todo el rock que llevaba dentro, toda esa cultura musical, se iría cuando sus viejos recuerdos invadieran su cerebro. No quería perder eso, eso y tantas otras cosas de su vida anterior que le hacían tan feliz: las canciones de Pink Floyd, el atardecer de Manhattan, el *jazz* del Village Vanguard, las mujeres que había amado. Sentía cómo, poco a poco, se iban entremezclando dos vidas. Los nuevos recuerdos se iban abriendo paso e iban acorralando lo que había sido su existencia hasta ese momento, la única que recordaba, la única que le había dado sus principios, sus certezas, su manera de enfrentarse a los días. Mal o bien, era lo único que tenía para asimilar sus pobres verdades. Pero, como siempre, Perenelle cortó sus sueños y sus pensamientos. No le gustó que se hubiera paseado por el pueblo y decidió que debían quedarse dentro de la barca hasta la noche, cubiertos por la lona. Matthew pensó que era algo romántico, quizá lo más romántico que les había pasado en su rara relación. Se escondieron y él abrió unas cervezas.

—¿Sabes, Perenelle? —decía Matthew—, tengo miedo... siento que no sé quién soy.

—Es normal. —Perenelle intentaba no acercarse demasiado—. Lo que te está pasando debe ser... —Recordó unos segundos y se quedó en silencio.

—¿Qué? ¿Te has quedado en blanco?

—No. La vida es difícil...

—No sé si estoy preparado para todo esto.

—Nadie lo está. Si lo estuviéramos la existencia sería eterna, y no lo es.

—La existencia es eterna. —Matthew rio—. Solo puedes vivir lo que puedes vivir, lo peor es perder los recuerdos, no saber quién eres.

—No tengas miedo por eso, las dos vidas que tienes en tu interior son tuyas. No puedes negar ninguna.

—Pero la nueva se come a la antigua, a la mía.

—Lucha por guardar lo más posible... ¿Quieres que te cuente un cuento?

—Hombre, yo hubiera preferido... —Matthew se tumbó junto a Perenelle—... algo más íntimo...

—Hace tiempo —dijo Perenelle sonriendo y dejó que se acercara, aunque guardando cierta distancia—, una mujer cabalgaba huyendo de su propia vida, se llamaba Elisabeth.

—¿Elisabeth? ¿Cómo sabes que me gusta ese nombre?

—No sé, lo he dicho por casualidad.

—Si... ya...

—Bueno... varios hombres la seguían a corta distancia hasta que borró su rastro dentro de un bosque. Entró en una pequeña cabaña donde podría resguardarse de la lluvia que le estaba helando la sangre. Allí permaneció hasta media noche y... como en todo cuento, apareció una vieja mujer que vivía apartada del mundo en aquel paraje.

—¿La bruja del cuento?

—Más o menos... La mujer que andaba huyendo había matado a un monje, a un hombre, nunca lo había hecho, jamás habría pensado que en su vida tuviera que enfrentarse al hecho de quitar la vida a un semejante. Pero lo hizo, sin pensarlo, para salvaguardar el único secreto que nadie podía conocer. A la anciana pareció no extrañarle la visita de aquella mujer asustada: «Hacía tiempo que te esperaba, has tardado», le dijo. Ella, la que huía, Elisabeth, pensó que estaría loca, pero que solo tendría que pasar unas horas allí, esperar a que escampara, a que amaneciera, y seguir corriendo. La anciana le hizo cortar unas verduras y ayudarle a cocinar, y así lo hicieron... cocinaron y rieron, cantando viejas canciones que la mujer nunca había cantado, pero conocía bien. Prepararon pócimas antiguas y elixires que nadie había elaborado antes y, cuando hubieron terminado, la anciana las fue introduciendo en pequeños frascos.

—Parece una de esas películas de Disney, ¿quieres una cerveza?

—Bueno... —Suspiró Perenelle— ¿Quieres que te la cuente o no?

—Venga, me estoy portando bien, ¿no?

—Cuando todas las esencias estuvieron en sus frascos, la anciana le dio a elegir: «Solo una es la tuya, debes elegir bien, puesto que las otras te llevarán al momento, justo al momento antes de matar a ese hombre que te atormenta. Tu intuición es la que debe decidir con qué esencia quieres seguir viviendo».

—Pero, ¿a quién había matado?

—A su maestro, el que le había enseñado todo lo que sabía. El último aprendizaje, el que debía llevarla hacia el conocimiento pleno, debía obtenerlo del espíritu de su maestro. Durante siglos ese último conocimiento había pasado de un aprendiz a otro de la misma manera. Si no sucedía así su entrenamiento no sería completo y el maestro habría fracasado en su enseñanza.

—Parece un acertijo.

—Todas las decisiones que tomamos son acertijos.

—¿Y qué hizo la mujer? —dijo Matthew pegando otro largo trago de cerveza.

—Dejar las cosas como estaban. Sabía que su destino siempre había sido matar a aquel hombre que tanto amaba y admiraba, el que le había enseñado todo lo que sabía. Debía hacerlo por los dos, si no tampoco el maestro pasaría al siguiente nivel; pero, claro, eso ella no lo sabía.

—¿Elisabeth?

—Elisabeth.

—¡Pues eso no me lo esperaba! —Matthew sonrió y se atragantó.

—Sí, hay energías, vidas, que están por encima de nosotros mismos. Tú eres lo que eres porque has sido lo que has sido.

—¿Aristóteles? ¿Hendrix?

—Pues eso quiere decir el cuento... que puedes seguir pareciendo un idiota o enfrentarte a tu destino y hacer lo que tienes que hacer.

Los dos callaron. Matthew permaneció despierto, mirando lo poco de luna que las nubes dejaban entrever. Perenelle durmió, o se hizo la dormida, esperando que aquel tipo enmarañado entre sus dos vidas pudiese pensar, dejar que su interior le mostrase el verdadero motor de su esencia. La vida estaba ahí antes de nosotros, mucho, antes, antes de que cualquier humano pisase la Tierra, y ahí iba a seguir estando después de nosotros. Simplemente nos había tocado la suerte de compartir un poco de esa energía que fluía entre los cuerpos y la naturaleza. Esa semilla que andaban todos buscando, la semilla divina que contenía unos secretos que quizá nadie debía saber. Perenelle se había tenido que enfrentar muchas veces a sus ganas de seguir viviendo. Tomar decisiones, vivir, eso sí que es un acertijo en el que ninguna respuesta es la correcta.

Unas horas más tarde, Perenelle miró el reloj. Matthew se había quedado dormido y le despertó suavemente. Sacaron la barca del pequeño puerto y se dirigieron hacia las afueras de Ginebra. Allí fueron desplazándose por las calles, aprovechando las sombras y la lluvia, hasta la catedral de Saint Pierre. Se dispusieron a franquear la puerta de atrás, un pequeño portón para la salida y entrada de la gente que trabaja allí, que en ese momento estaba abierto.

—Pasad, rápido, llevo más de tres horas esperando a que aparecierais. —Un hombre que portaba un candelabro antiguo los esperaba envuelto en la penumbra—. Seguidme.

El tipo estaba debajo de un chubasquero empapado, con una capucha que apenas dejaba entrever su rostro. Miró a los lados de la calle para ver si alguien los había seguido y cerró la puerta desde dentro con un enorme cerrojo. Bajaron por unas escalerillas de caracol hacia una estancia privada, debajo de la catedral. Cuando llegaron encendió un pequeño candil y les dio un par de toallas.

—Secaos —dijo despojándose de su ropa mojada. Cuando se quitó el chubasquero por fin pudieron ver que se trataba de un cura, que estaba muy nervioso—. Ellos están aquí.

—¿Quiénes son ellos? —preguntó Perenelle intentando entrar en calor.

—¿Quiénes van a ser?... ¡Ellos! ¡Los Guardianes! —decía mientras buscaba entre los libros—. Nunca encuentro las cosas cuando las necesito... estaba por aquí.

—¿Saben que venimos? —preguntó ella.

—No, no saben nada... creo... pero no se fían... Mañana es la visita internacional y no quieren que haya mirones... Aquí está, por fin. —Abrió uno de los volúmenes y buscó entre sus hojas. Al cabo encontró dos credenciales—. Emilio, panameño, este debes de ser tú, y... Simone, este debe de ser el tuyo.

—Es mi foto, ¿de dónde las ha sacado? —comentó sorprendido Matthew—. Pero el yo de ahora... Por cierto, ¿le hablamos de usted?

—Los hombres somos iguales y el «usted» nos diferencia y nos separa, hay que hablarse de tú... Esas fotos llevan aquí decenas de años, esperando, desde que las trajo un chino, el mago... Sí, hace años que espero vuestra llegada.

—¿Como que hace años? —dijo Perenelle.

—Hace unos veinte años recibí una visita, una noche de tormenta como esta. Habían ocurrido una serie de asesinatos en Ginebra, ¿no os acordáis? Los nueve cuerpos —negaron con la cabeza—. Entraron en la catedral unos hombres y rebuscaron violentamente en la sacristía, los huesos del santo, las reliquias... buscaban algo, unos cabellos que habían permanecido ocultos desde la construcción de la iglesia. Me pidieron que abriera la estancia secreta, pero yo no sabía entonces dónde estaba. Me torturaron. —Se giró y los miró de frente. Por fin pudieron ver la gran cicatriz que cruzaba su rostro de lado a lado—. Nada les pude contar a esos cabrones... Hasta que entró aquel viejo chino.

—¿Sheng? —preguntó Perenelle.

—¿Lo conoces? —preguntó el cura apenas sorprendido—. Claro que lo conoces, cómo no lo ibas a conocer, sí él te ha enviado. Él me salvó, peleó contra esos demonios como jamás antes había visto pelear a nadie. Me desató, me dio a beber de un frasco y abrió un pequeño escondite debajo del altar. Algo que había estado escondido durante siglos. Unos cabellos finos, rubios, como de un niño o una niña.

—El anticristo —dijo Perenelle, como entendiendo por fin un rompecabezas que llevaba tiempo intentando resolver—. Los únicos restos de un experimento que se hizo en el siglo XIV, con la peste. Los tres seises del apocalipsis de San Juan, en el libro de las Revelaciones. Muchos decían que esta historia no era cierta. La sexta letra del vocabulario antiguo, que correspondía a la uve doble, el omega, el fin... La catedral se había hecho antes, dos siglos antes... ¿Cómo acabaron aquí esos restos?

—¿La peste negra? —preguntó Matthew—. Sí... allí todo el mundo se volvió loco, ¿no? A todos les entró el miedo al fin del mundo.

—Era el fin del mundo —continuó Perenelle—. Casi un tercio de la población murió, ¡si eso no es el fin del mundo! —Pensó unos instantes—. ¿Y qué hizo Sheng con los cabellos?

—Los quemamos. Yo estaba muy débil, pero me hizo vestirme para dar misa, luego machacó los cabellos junto al vino consagrado e invocó a los Antiguos Seres. La catedral se llenó de luz y unos ángeles voladores nos rodearon. Rompieron todos los bancos, todas las vidrieras, el ruido era ensordecedor... Sheng siguió pronunciando unas viejas letanías en idiomas que yo no conocía, hasta que los cabellos prendieron y yo perdí el conocimiento.

—¿No recuerdas nada más? —le preguntó Perenelle.

—No, de hecho, durante años pensé que todo había sido una locura. En la prensa hablaban de la mayor tormenta del siglo, no sé, por entonces yo... No tenía una vida fácil... Bebía mucho... Pero años después recibí una paloma con una nota, una pequeña noticia donde se me dieron las primeras instrucciones. Era Sheng. Debía proteger a la humanidad de la venida del anticristo, consagrar mi vida a ello. Y dejar el alcohol. He viajado por todo el mundo y he visto cosas que nadie debería haber visto jamás, pero ahora sí estoy preparado para lo que viene.

—Todos tenemos una misión en este mundo —afirmó Perenelle mirándole a los ojos.

—Ellos no saben que estáis aquí, pero lo sabrán, así que yo debo irme, hay algo que debo hacer —continuó el padre—. Creo que ellos me siguen desde hace días. Lo presiento. Está noche saldré hacia Francia y me llevaré a todos conmigo, para que estéis tranquilos. El maestro me reclama, Sheng quiere que vaya a preparar mi casita de Chamonix. Pero antes debo darles esquinazo a esos diablos. Vosotros tenéis que ir al hotel Kempinski, allí se hospedan todos los conferenciantes. Nos veremos dentro del CERN, yo os buscaré.

* * *

Los dos salieron de nuevo a la lluvia con la extraña sensación de haber viajado en el tiempo o haber vivido una escena de una película de misterio. Aquel hombre, el cura, parecía estar muy nervioso. Tenían la impresión de no ser más que unos pobres peones en una gran partida de otros. Como si estuvieran jugando en el espacio-tiempo, como si ellos no fueran más que humildes alfiles, valerosos y siempre dispuestos a morir por las grandes figuras. Cogieron un taxi y le dieron la dirección al conductor escrita en una tarjeta. Mientras, hablaron del CERN, con sus credenciales colgadas, como si realmente fueran científicos de visita. El taxista apenas reparó en ellos y siguió escuchando sus programas deportivos en la radio del coche.

Cuando llegaron a la recepción de hotel todo les pareció normal. Sus habitaciones eran contiguas, en la novena planta, como una broma del destino. Les dieron la 9.100 y la 9.101, era el número del apartamento en el que vivía Frasier, el psiquiatra de la serie de televisión que siempre le había gustado a Matthew. El productor de la serie, un tipo llamado David Angell, curiosamente murió el 11 de septiembre de 2001 en el vuelo 11 de American Airlines junto a 92 personas, durante el día que atacaron las Torres Gemelas y el Pentágono. Perenelle sonrió a Matthew cuando este le habló de todas esas coincidencias, pesando que era demasiado aventurar.

Una vez solo en su habitación, Matthew se duchó con agua caliente, tenía calados los huesos, y puso la ropa a secar junto a uno de los radiadores. Vio un poco la tele, buscó por el mueble bar a ver si encontraba algo bebible y pensó en Perenelle. En cómo sería su cuerpo en la ducha, en la soledad que le producían los hoteles, las habitaciones impersonales donde había tenido que permanecer tantas y tantas veces esperando huir hacia otro lugar. Lo pensó lo que duraron tres mini botellas de burbon y, al acabar la tercera, llamó a la puerta de Perenelle.

—Has tardado mucho. —Sonrió ella en albornoz mirándole con la puerta entreabierta—. Pensaba que tus impulsos adolescentes no te iban a permitir estar sin imaginarme desnuda más de media hora.

—He estado 36 minutos y 45 segundos, aunque hubiera venido a eso del minuto 15 o el 16... ¿Entro?

—¿Y eso?

—Champán... del mueble bar.

—¿Ya te has acabado el ron?

—No había ron, solo burbon; nunca me han gustado esas bebidas, pero es lo que hay.

—¿Has visto las noticias?

—No.

—La visita de mañana es una de las más importantes de la historia del CERN, van a estar todas las televisiones y varios ministros. Así que... tendrás que entrar tú solo.

—¿Solo? —dijo Matthew mientras descorchaba el benjamín de champán.

—Solo. No te dará miedo ahora, ¿no?

—Pues sí, yo pensaba que vendrías conmigo...

—Pues no. Yo estaré fuera. Va a haber mucha gente de Asmodeo y las televisiones; si alguien me reconoce se acabó la función.

—Bueno, a decir verdad, me lo imaginaba —dijo Matthew mientras rebuscaba en el bolsillo de su albornoz—. Toma.

—¿Un pen drive? ¿De dónde lo has sacado?

—Digamos que lo preparé hace tiempo, siempre hay que tener una segunda puerta, por si todo falla.

—Y ¿qué quieres que haga con él?

—Solo debes introducirlo en cualquier terminal y seguir sus instrucciones, es muy sencillo.

—No voy a preguntarte dónde lo tenías escondido.

—Mejor que no.

Matthew propuso un brindis, pero realmente no sabía por qué brindar, así que solo se miraron a los ojos y chocaron sus copas. Un silencio que duró apenas dos segundos, pero que, en el tiempo que les había enseñado Sheng, permaneció congelado en aquella habitación durante un lapso incontable. Perenelle quitó la copa de las manos de Matthew y puso las dos sobre la mesa. Después de acercó y le besó en los labios. Matthew fue a hablar, pero ella, suspirando, le hizo un gesto con el dedo para que permaneciera en silencio y no estropeara el momento. Fue un beso puro, de amor, de aventura, de tensión, de misterio. A Matthew jamás le había besado nadie de aquella manera tan profunda, y ya era la segunda vez que Perenelle lo hacía. Se sentía como un adolescente. Se tocaron las manos, se miraron, se olieron, se reconocieron como la parte que les completaba y, de pronto, ella se separó y siguió como si nada hubiera pasado. Otra vez jugaba con él, como si tuvieran quince años.

—No vas a tener sexo conmigo. —Perenelle sonrió.

—Vaya, pensé que hoy me lo iba a montar con mi primera anciana.

—Hasta que no sepa quién eres no voy a dejar que esto siga adelante.

—En fin, yo que pensé que tú eras una mujer liberada, inmortal, que separarías el sexo del amor con toda tu experiencia... casi estaba nervioso por si acaso no estaba a la altura.

—Así fui, durante más de un siglo —respondió Perenelle mirando por la ventana mientras se secaba el cabello con una toalla—. Pero luego descubrí que solo me interesa una de las dos partes: el amor.

—De todo se cansa uno...

—De todo no.

Matthew dio un par de suspiros, como intentando relajar su calor corporal y vació en su garganta lo que quedaba del champán.

—Un tipo raro ese cura... ¿crees que es verdad todo lo que cuenta?

—No lo sé, Sheng confía en él. No creo que la visita de que nos habló fuera hace veinte años. Sheng maneja el pasado, viaja por él psíquicamente. Pero solo puede entrar en los sitios donde no ha estado jamás, no puede volver hacia él mismo. No puede haber dos mismas ánimas en el mismo lugar, se produciría una ruptura, una némesis espacio temporal. Solo puede compartir el mismo tiempo, no el mismo espacio.

—Es como una orden de alejamiento de... ¿cuánto? ¿500 metros? —sonrió Matthew.

—Más o menos, quizá no lo entenderías.

—Prueba, la física cuántica era una de mis aficiones en mi vida «presente», o «pasada»... o como quiera que se llame esta vida que tengo ahora y que no sé cuánto durará.

—No es cuestión de entender, si solo fuera eso... Hay cosas que todavía no estás preparado para conocer. Hay cosas que no se aprenden: se saben.

—Vale... como soy un pobre mortal... Bueno —continuó diciendo Matthew un poco enfadado, como un niño—, ¿y qué era eso de la peste que dijiste antes en la catedral?

—La peste negra... Un alquimista, uno de los viejos sabios, perdió a toda su familia a causa de la enfermedad y se volvió loco. Congregó a un buen número de fieles con la absurda idea de atraer al anticristo, de esa manera el mundo se acabaría por fin y terminarían las penalidades. Pensaba que la peste era un castigo de Dios y quería vengarse de él.

—¿Lo consiguió?

—Nadie lo sabe con certeza; consiguió crear un ser, según dicen, a partir de unas reliquias de Santiago Apóstol. Utilizó la Palabra Antigua, los antiguos salmos, las frases prohibidas e introdujo todos los males en un ser creado a partir de los 9. Una pobre virgen fue violada por esos 9 y dio a luz a un ser, unos dicen que niño, otros dicen que niña... Un demonio.

—Pues fue una suerte que consiguieran matarle.

—Nadie ha dicho que consiguieran matarle. Se cree que permanece oculto.

—Pero, entonces, no es el anticristo...

—No, solo era un arcángel, alguien cuyo ADN se podría utilizar para engendrar a las criaturas. Dicen que no murió y que vio la luz, que se enfrentó con el mismo espíritu de Cristo y que huyó de sí mismo al saber que había sido engendrado por el mal. Había encontrado su verdadera esencia y sintió que no quería vivir con ese destino. Dicen que se tiró a un volcán para que nadie pudiera hallar nada de él.

—Bonita historia.

—Muchas veces los cuentos son mejores que la realidad. Los cuentos tratan de nuestros peores miedos, de nuestras esperanzas.

—¿Y ese tal Asmodeo del que todos habláis?

—Se dice que es un siervo del anticristo, un ángel caído, pero nadie sabe con exactitud quién es.

—Solo Sheng.

—Sheng es el más antiguo de los Adeptos, Flamel dice que el maestro estaba aquí incluso antes de que la raza humana fuera depositada sobre la Tierra.

—Otro misterio... ¿te das cuenta? —Rio—. Vivís rodeados de misterios, todas las historias, todas las conspiraciones, siempre hay una explicación que se nos escapa, que no es humana. Es un poco raro, ¿no te parece?

—Lo que a mí me parece es que la ignorancia produce monstruos. Tendrías que ver quién está dentro de los Guardianes...

—Los he visto.

—No, tú has visto unos cuantos científicos que trabajan para ellos, pero no has visto a los que manejan los hilos.

—Yo también he leído a los anarquistas, y me sé muy bien las teorías sobre las familias que dominan el mundo.

—Es real, Matthew, todo es real. El dinero, los atentados de Nueva York, las guerras. No son solo los Guardianes, ellos simplemente son los más poderosos, pero hay muchas fuerzas oscuras que trabajan para que los hombres no se planteen su propia libertad. La educación desde que somos niños, las escuelas llenas de pensamientos frustrados, educar productores del sistema, gente que no proteste, que solo se levante y repita los días uno a uno hasta la muerte. Sin arrepentimientos, pidiendo permiso para orinar a un superior que a su vez pide permiso a otro, siempre por debajo de ellos. Nosotros, los Adeptos, llevamos años luchando para que los humanos despierten, pero es muy lento, por cada ladrillo que quitamos la oscuridad construye un edificio. El miedo, Matthew, ese es el gran problema. Los imperios, el petróleo, todo está organizado para que tengamos miedo, miedo constante a nosotros mismos. ¿Te imaginas un mundo sin miedo? Ellos controlan el dinero y crean falsos héroes con los que la gente empatiza, con los que duerme su propia vida. Nadie quiere rebelarse en un mundo dormido.

—¿Por qué fuisteis al lado bueno? Sí, Flamel, Sheng, tú... ¿qué os diferencia de ellos?

—Yo estuve en el otro lado, lo estuve buena parte de mi vida, en el lado del dinero, del poder... Flirteé con la parte oscura durante unos años, cuando rompí mi relación con Nicolás. Pero luego me di cuenta de que mi esencia estaba en la luz, como la de casi todos nosotros. Es como lo del sexo y el amor. —Sonrió—. Tú todavía no lo entiendes porque no has amado. Cuando amas una sola vez y se muere tu corazón al perder al ser amado para siempre no vuelves a querer amor nunca más, no puedes permitírtelo. Por eso no puedes tener sexo con nadie al que puedas amar.

—Sí... me tenías que haber dicho esto hace muchos años —afirmó Matthew—. Muchas de mis ex te lo hubieran agradecido. Yo también he sufrido todo eso de la educación, del dinero... Sé que mi país, Estados Unidos, está metido en todos los fregados, y que la mayoría los provoca él mismo, sí, pero es solo dinero. Las empresas, los ricos, siempre han jodido a los pobres, en eso consiste el equilibrio. Aprietan para ver cuánto pueden aguantar y entonces los pobres explotan, se revolucionan y consiguen un poco de libertad, lo justo para que se contenten. Los ricos, después, aflojan un poco y vuelta a empezar.

—Es una lectura —dijo Perenelle—. Siempre tienes la capacidad para hacer todo sencillo, pero la realidad, a veces, no es tan sencilla. Te olvidas de los hilos, de los planes, del poder en la sombra.

—¿Y cuál es la solución?

—Luchar contra ellos, despertar a la gente y, sobre todo, que no consigan engendrar de nuevo al anticristo. Dios no es solo un dios, es una raza superior de seres que juegan con nosotros, como marionetas. Pero tienen otras ocupaciones en las que no entramos.

—Bien, ¿estás segura de que no vamos a tener sexo? —Levantó las cejas con picardía—. Te pones preciosa cuando hablas de los problemas del mundo.

—Hasta mañana, anda, vuelve a tu cuarto y piensa un poco en todo lo que hemos hablado.

Perenelle se metió en la cama, se tapó e intentó dormirse. Matthew terminó su champán, apagó las luces y la observó durante unos minutos. Al cabo, sonrió, la besó en la frente, la arropó y se marchó a su habitación.

8

LA SOMBRA DEL CERN

Las mañanas de Ginebra no eran como las de Nueva York. A lo lejos las montañas observaban la salida del sol desde tiempo inmemorial. Bajaron hacia el *hall* del hotel y se mezclaron con todos los científicos. Perenelle llevaba unas gafas y una peluca, tanto había cambiado que Matthew casi no la reconoció cuando apareció en la puerta de su habitación.

Aquella noche Matthew sintió cómo se iban quemando sus recuerdos y pensó en escribir un diario con todo lo que aún era capaz de rememorar. Si Conrad iba a adueñarse de nuevo de su cuerpo debía salvaguardar su otra vida, por si acaso, como un archivo de *reset*, por si todo dejaba de funcionar. Estuvo varios minutos observándose en el espejo. Era extraño, muy extraño, el rostro que veía era diferente, pero no le provocaba ningún rechazo, como si realmente nada hubiera cambiado. No sentía ningún temor. Lo que sí le daba algo de miedo eran los sueños que había empezado a tener. Sueños sobre momentos antiguos, algunos humanos y otros de viajes entre estrellas, como si pudiera mirar planetas anteriores a la Tierra. Sueños que sí le provocaban una sensación de caída helada, como si tuviera los pies al borde del acantilado. Una sensación de miedos antiguos, anteriores a Conrad, anteriores a todo. Un vacío. Pero decidió no tomarse en serio nada, seguir dejando que las cosas fueran sucediendo, como había hecho siempre.

Se metieron en uno de los autobuses que iban hacia el CERN. Una vez en el autobús, se separaron, cada uno se sentó con otra persona, a varias filas de distancia, y decidieron no mirarse. Leer el dosier que les habían dado y sonreír todo el rato, como si realmente estuvieran estudiando la visita y fueran serios científicos profesionales. El plan era sencillo: una vez entraran en las instalaciones debían evitar llamar la atención, Matthew entraría con todos los científicos y Perenelle tenía que encontrar una escalera de servicio, o algo similar, y esperar las indicaciones del cura de la catedral. Debían confiar en su palabra; al fin y al cabo, llevaba años preparando la entrada y tendría instrucciones de Sheng. El maestro y Flamel se habían preocupado de que nadie supiera el plan, si es que lo había. Ni Perenelle ni Matthew sabían nada. Solo que iba a ser peligroso y que si los descubrían los matarían. Nada más.

Durante la visita a las instalaciones Matthew se mezcló con los científicos tratando de pasar desapercibido. Les fueron enseñando las diversas salas y todo parecía normal hasta que en una de las plantas vio a Tamiko. Un escalofrío le recorrió el cuerpo. Intentó no mirarla fijamente, pero no podía apartar la vista de ella. Aunque Matthew ahora tenía otro aspecto físico, quizá eso no fuera suficiente para evitar que ella lo reconociera a través de su mirada, de sus ojos, esas cosas no cambian, lo que uno lleva dentro. Siguieron paseando por las instalaciones mientras les contaban el funcionamiento del CERN, una explicación demasiado técnica para Matthew. En aquella visita todos parecían cerebritos de esos con los que él nunca se había entendido demasiado, ratas de biblioteca que tienen poca vida social y se encierran en laboratorios y en libros. A él siempre le había gustado ir por libre, nada de instituciones oficiales, y de alguna manera no se sentía cómodo rodeado de tanto doctor, pensaba que les faltaba un poco de recorrido por las calles.

Siempre el eterno problema de muchos sabios, que se encerraban en los libros y luego podían crear verdaderas aberraciones, pensando que eran para el bien de la humanidad, como Oppenheimer, que al final utilizó su ciencia para ayudar a fabricar las bombas atómicas. A Ofiuco, la personalidad cibernética de Matthew, le gustaba trabajar para la gente, para servir al despertar general. Siempre admiró a Tim Berners-Lee, el informático que creó la primera página web en abierto de la historia de Internet, precisamente la página del CERN. Tendría que preguntar a Perenelle, cuando todo terminara, si seguían vivos, si aquel tipo fue otro Guardián o solo otro científico despistado que jugaba, sin saberlo, para los intereses de los poderosos.

Les explicaban como el LHC, el acelerador de hadrones, llevaba años buscando partículas mínimas. La idea de construir un enorme tubo de 27 kilómetros, para hacer chocar los núcleos de los protones podía parecer, a simple vista, una completa locura. Pero los resultados quizá cambiaran el mundo, la energía, la relación con la galaxia, los transportes. Era como un juego: hacer chocar los protones casi a la velocidad de la luz y ver qué pasaba en el choque, como si la policía analizara los restos de un accidente aéreo meticulosamente.

La visita estaba muy controlada por el personal de seguridad, Tamiko hablaba con varios tipos uniformados y parecía estar organizando todo para que nada se descontrolara. De momento no había notado su presencia. Llegaron a una de las salas donde guardaban parte de los enormes imanes que utilizaban en el complejo. Matthew empezaba a impacientarse y se colocó al final, detrás del grupo, observando; pensó que no conocía el plan y se había relajado demasiado. Debía revisar cualquier anomalía, cualquier pequeña cosa que pudiera pasar desapercibida. Flamel también le había dicho que Conrad era un experto en la observación, como él. Se detuvo unos segundos con la intención de beber un poco de agua de esas máquinas con bombona. De repente, mientras llenaba el vaso, sintió cómo alguien le rozaba el brazo y le metía algo en el bolsillo de la bata blanca. Apretó la mandíbula e introdujo la mano en el bolsillo para ver si podía intuir lo que era mediante el tacto. Parecía una tarjeta con banda magnética. Dejó que todos pasaran de largo y en un instante en el que nadie le miraba se quitó la bata que lo identificaba como visitante. Esperó a que las dos cámaras de seguridad coincidieran justo con el ángulo muerto y abandonó al grupo de científicos. Cogió un carrito lleno de material de oficina que estaba junto a una de las puertas y caminó en dirección contraria, siguiendo a aquel hombre con bata, que iba unos metros por delante de él, cuyo roce acababa de sentir. Llegaron hasta uno de los ascensores y el tipo se metió dentro, junto a varias personas.

Matthew no lo pensó mucho, dejó el carrito y se metió también. Dos o tres plantas más abajo se quedaron solos.

—Matthew —dijo el tipo quitándose unos pequeños trozos de goma de la cara: labios, pómulos, cejas, cabello... un maquillaje profesional, como de película de Hollywood—. Soy yo, el padre Morelli.

—¡Padre! —exclamó Matthew, aliviado de haber seguido al hombre correcto. No sabía cómo había podido entrar, burlar todos los controles de entrada al recinto, pero el caso es que el cura de la catedral había vuelto.

—Trabajo aquí, de incognito, llevo años en la investigación. Tengo esta otra personalidad, el doctor Martinelli. A veces ni me cambio la goma de la cara en días para no tener que ponérmela por las mañanas.

—¿Usted es doctor? ¡Vaya con el cura! Es usted una caja de sorpresas.

—Soy físico de partículas. ¿Te sorprende?

—Bueno, si le digo la verdad, pensé que usted no era más que un loco que andaba entre mitos y leyendas.

—¿Mitos? —Morelli sonrió—. Aquí llevan años intentando encontrar a Dios, no hay mitos. Hay que bajar a la última planta, al túnel. Toma. —Sacó de su espalda una pistola glock 17 y se la entregó a Matthew.

—Pero... yo no sé usar esos cacharros.

—¿No? —El cura se lo mostró—. Quitas el seguro, cargas y aprietas el gatillo. No lo agarres ni muy fuerte ni muy flojo, por el retroceso. Apunta al centro del corazón y a algún sitio darás.

—¿Cómo demonios ha conseguido pasar esta arma por los arcos de seguridad?

—Está modificada, no tiene metales, solo cerámica y polímeros, incluso las balas carecen de metal, es indetectable.

—Pero, padre, ¿y el «no matarás»?

—Ya no estamos para tonterías, Matthew, contra el diablo no se puede luchar solo con oraciones, eso queda para las películas. Además, antes de ese mandamiento, deberían haber puesto el de «no te dejarás matar». Toma un par de cargadores más, mira. —Le volvió a mostrar cómo funcionaba—. Así sacas el cargador y metes el siguiente.

Matthew agarró la pistola e intentó tenerla en la mano.

—No la quiero, padre Morelli —dijo devolviéndosela después de pensar unos instantes—. Yo prefiero no matar a nadie.

—Ellos no piensan lo mismo, no van a dudar en matarte si te cogen.

—Ya. Correré el riesgo.

—Como quieras. —El padre abrió su chaqueta y mostró el pequeño arsenal que tenía preparado. Sobre un chaleco antibalas tenía compartimentos con cuchillos, pistolas, granadas y objetos que Matthew no logró distinguir, explosivos o algo similar.

—Parece usted el mismísimo Rambo, padre, ¿cómo ha podido pasar estas armas al centro?

—Aquí entran y salen constantemente cofres con piezas para los aceleradores, y en algunos de esos cofres caben muchas cosas. Desde que estuve en Centroamérica apoyo con esto la palabra de Dios. Llevo veinte años luchando contra los Guardianes. —El ascensor se detuvo—. Hemos llegado. Hay que acceder al búnker.

El padre Morelli tenía el mapa de la planta en la cabeza, los movimientos de las cámaras, las rutas de los guardias de seguridad. Escucharon acercarse a dos hombres que hacían la ronda. Esperaron y se deslizaron por detrás de ellos sigilosamente a través de una de las puertas que comunicaba con el otro pasillo. El padre contó en silencio durante unos segundos y volvieron a salir hasta una puerta de acero. Deslizó una tarjeta por el identificador y apoyó su dedo pulgar en el detector de huellas. La puerta se abrió y entraron en una sala que parecía más importante. Por fin, a Matthew se le abrieron las pupilas. En el centro de la sala había dos terminales, dos ordenadores que parecían controlar los soportes de información de los procesadores que rodeaban la habitación. Aunque no fuera el ordenador central del complejo, si tenía conexión a la red era suficiente. Matthew sintió que todos sus conocimientos informáticos seguían intactos, Conrad todavía no había borrado de su recuerdo el calor que le recorría las puntas de los dedos cuando veía un teclado conectado a la red. Sonrió y se sentó ante él.

—Date prisa, Matthew —dijo el padre Morelli nervioso, mirando el reloj—, tenemos cuatro minutos y veinte segundos.

—De sobra.

El *hacker* comenzó a hacer su trabajo. Debía piratear los magnetrones, reprogramarlos para que cuando Asmodeo quisiera obtener la partícula y el túnel funcionara a pleno rendimiento se sobrecalentaran y explotaran. La explosión recorrería todo el túnel de vacío y la planta desaparecería. Estableció un protocolo para que saltaran las alarmas unos minutos antes de la explosión, para que todos los científicos pudieran salir. Allí trabajaban muchos inocentes y no quería guardar sobre su conciencia muertos colaterales. Por eso había luchado tanto contra las políticas de su país en Oriente y África. Estaba harto de ver que la vida humana eran cifras que a nadie importaban. Y él no podía permitírselo. Quizá a su nuevo yo, Conrad, le diera igual, quizá él pensara que el fin justifica los medios, pero de momento Matthew seguía siendo Matthew y no iba a cambiar sus principios.

Programar a contrarreloj, bajo presión, era lo que más le gustaba, casi sentía una excitación sexual con todo aquello, como un reto imposible. Siempre que *hackeaba* saltaban los dispositivos de búsqueda y tenía pocos minutos antes de ser descubierto.

Pero todo iba bien, demasiado bien... como si nadie hubiera previsto un ataque desde dentro. Abrió su Fuente de los Secretos, su pequeño almacén privado, y eligió cuál iba a ser la mejor manera de comenzar el ataque.

—¿Cómo vas? Hay que salir en un minuto.

—Espere, padre, ya casi está. Es demasiado fácil, no sé... estoy diseñando otro recorrido, por si acaso.

—Bien, bien...

De pronto la luz saltó, colapsó los servidores y quedaron todos en rojo. Se encendieron los pilotos de emergencia y todo quedó en silencio durante varios segundos. El padre miró a Matthew sospechando lo peor.

—¿Has sido tú?

—No —contestó el *hacker* preocupado.

—Están aquí. —El cura sacó varias armas y se puso en guardia.

Como una sombra, alguien atravesó la puerta y comenzó a golpear al padre Morelli. Alguien vestido completamente de negro, con el rostro tapado. El padre miró a Matthew y le dijo: «¡Termina!». Y comenzaron a luchar como dos expertos en artes marciales. Matthew buscaba por todos lados algún interruptor, algún fusible, alguna corriente alternativa con la que poder encender un resto de batería y terminar su trabajo mientras los objetos volaban por la habitación. Por fin, la sombra desarmó al padre Morelli y le golpeó en la cabeza dejándolo inconsciente.

—Bueno, ahora me toca a mí —sonrió Matthew—. Y agarró uno de los teclados de ordenador a modo de arma.

—Déjalo Conrad... o, ¿debería llamarte Matthew? —La sombra se quitó el pasamontañas que le cubría el rostro y le indicó que se rindiera—. ¿Lo hacemos fácil?

Matthew se quedó helado, de piedra. Era Tamiko, la dulce japonesa de la que había huido cuando estuvo en el ITER.

—¿Conrad? —dijo Matthew dudando—. ¿Me conoces? Pensaba que no ibas a reconocerme con mi nuevo rostro.

—Yo no, pero él sí... De todas formas, no has cambiado tanto.

Un hombre alto, con el pelo canoso, de una edad indescifrable, elegante, entró en la habitación junto a varios soldados.

—¿Asmodeo? —preguntó Matthew, sabiendo la respuesta en su interior.

—Volvemos a vernos, viejo amigo, han pasado muchos años. Acompáñame, quiero enseñarte algo. —Los soldados esposaron a Matthew y al padre, que a duras penas recobraba la conciencia—. Por cierto, muy interesante la manera en la que has desencriptado el problema que te proponíamos, sabía que podíamos contar contigo. Algunos dudaban de ti, pero yo te defendí. Sabía que lo conseguirías.

—¿Diffie-Hellman? ¿El algoritmo discreto? —preguntó Matthew entendiendo un poco la trampa en la que habían caído—. Algo antiguo, ¿no?

—Sabía que ibas a conocer a El Gamal. Y que ibas a utilizar el algoritmo de Shanks. Por eso le hicimos un par de modificaciones, para que no creyeras que era una prueba.

—¿Una prueba?

—Una prueba sencilla de aritmética modular. Lo has pirateado en 2 minutos 37 segundos. Tamiko tenía razón... No sé si serás Conrad, pero como *hacker* eres el mejor.

Los llevaron hacia una planta inferior. Tamiko y Matthew apenas cruzaron sus miradas un par de veces. El *hacker* quería preguntarle tantas cosas, ¿realmente nunca hubo sentimientos entre ellos? ¿Era tan fría como se mostraba? Con aquel traje de ninja no parecía ser ninguna dulce ingeniera, más bien una asesina profesional. Llegaron a un búnker protegido por paramilitares, semejantes a los que le habían secuestrado en la isla del Pacífico. Gente con cara de pocos amigos que reaccionaría mal ante cualquier movimiento extraño.

El destino era una gran sala donde trabajaban decenas de personas con ordenadores y tres grandes pantallas. A Matthew le recordó las películas sobre la sala de control espacial de la Nasa en Houston, donde supervisaban los lanzamientos de los cohetes. Al padre Morelli, aún semiinconsciente, se lo llevaron a otro lugar. Matthew pensaba en lo poco que le hubiera costado a Tamiko haberle matado aquella noche en su habitación; quizá hubiera dudado llegado el momento, se dijo, quizá no hubiera podido matarle. Eso le consolaba. Aunque realmente no quería ponerla a prueba. Lo que había visto, que estaba adiestrada como una asesina certera e implacable, le había excitado un poco, como si de alguna manera la admirara.

—Siéntate, Conrad —ordenó Asmodeo mientras varios de los técnicos le susurraban cosas al oído—. Vas a ver una primicia.

Varios tipos musculosos le sentaron en el centro de la sala y le ataron las manos a la silla.

—¿Realmente hace falta esto? —preguntó con ironía Matthew—. No me voy a escapar. —Tamiko se acercó.

—En cuánto encontremos al resto del comando te soltaremos —le dijo la japonesa al oído.

—¿Resto? No hay resto. Solo estamos el padre y yo.

Tamiko no le contestó, simplemente le guiñó un ojo y le ató más fuerte. En las pantallas apareció una cuenta atrás de menos de un minuto. Como una fuente de energía que debía cargarse para completar la munición de un arma ultrapotente.

—¿Lo reconoces? —preguntó Asmodeo saboreando una copa de licor—. La venganza tiene un sabor amargo, dulce a la vez, como un buen coñac. Tarda decenas de años en macerarse dentro de un barril y luego apenas dura unos instantes, pero deja un intenso recuerdo en el cerebro, recorre las papilas gustativas, la nariz, el olor, el sabor, el tono, completa su recorrido en el estómago y todo tu cuerpo pide más.

—Matthew cambió el gesto al ver que en una de las pantallas aparecían las coordenadas del refugio de los Adeptos. Era matemáticamente imposible que a Flamel y a Sheng les hubiera dado tiempo a organizar la huida. Si los atacaban morirían todos. Pero no podía hacer nada. Pensó en Perenelle, sabía que si se concentraba e intentaba ponerse en contacto telepáticamente ella le escucharía, solo debía concentrarse. «Ven, ven, van a matar a todos», gritaba dentro de sí intentando mandar el mensaje a Perenelle.

—¿Has oído hablar del HAARP? —la voz de Asmodeo interrumpió su concentración.

—¿Existe? Pensaba que eso de controlar la atmósfera era un mito.

—Llevamos años controlando el clima de los países —respondió Asmodeo aceptando la ironía de Matthew—. Ni te imaginas la de dinero que generan al año un par de desastres. Lugares que desaparecen con terremotos, accidentes, tormentas, tifones... episodios de los que nadie es responsable. —Levantó la mirada hacia los científicos—. ¡Que empiece la cuenta atrás! Querido Conrad —lo miró complacido—, vas a contemplar la desaparición completa de los Adeptos.

—Pero no podéis lanzar un rayo de ondas hasta allí. ¿Cómo?

—Hace años pensábamos que los campos de antenas podían rebotar contra la ionosfera y controlar su vuelta con grandes antenas de repetición que soportaran la enorme cantidad de gigavatios que lanzan a la atmósfera, pero...

—Si pudiéramos controlar los rebotes y dirigirlos hacia un punto concreto con mayor fuerza... —dijo Matthew adelantándose a la explicación.

—¡Bravo! —aplaudió Asmodeo—. ¡Bravo, Conrad, bravo! Sabía que podíamos contar contigo, con tu inteligencia. Eso es precisamente lo que vamos a hacer en 9, 8, 7...

Asmodeo continuó la cuenta atrás mientras todos los técnicos ajustaban los códigos de disparo. Cuando terminó de contar todo quedó en silencio durante varios segundos. Las tres pantallas mostraron las imágenes de tres satélites espía que apuntaban directamente al refugio de los Adeptos. Las cámaras permitían ver cómo la nieve comenzó a temblar, calentándose, y en unos segundos explotó todo el recinto provocando una gran deflagración parecida a un alud, a un terremoto, a un volcán. Nadie habría podido sobrevivir ante semejante ataque. Asmodeo sonrió levemente, apuró su vaso, se levantó y dio unas ligeras palmaditas. Todos lo miraban. Estaban entre contentos y asustados.

—Imagen térmica —pidió Asmodeo.

Las imágenes térmicas mostraban decenas de cuerpos tumbados bajo la nieve. Algunos todavía se movían ligeramente, bajo metros de escombros, de piedra y nieve. Asmodeo sonrió y todos gritaron con júbilo. Todos menos Tamiko, que siguió observando a Matthew, como vigilándolo incesantemente. Quizá tenía miedo de volver a fallar en su misión.

Matthew no podía creer lo que había visto. No podían haber ganado los malos, eso nunca pasa en las películas. ¿Cómo iban a dejarse atrapar tan fácilmente Flamel y Sheng? Era imposible, ellos eran sabios, debían haberlo previsto todo. Pero las pruebas eran irrefutables. Asmodeo espero unos minutos a que cargara con menor potencia el HAARP y lanzó un segundo ataque de menor intensidad, esta vez con el objetivo de que aquellos cuerpos que mostraba la imagen térmica dejaran de moverse para siempre. El tren de ondas volvió a impactar contra el refugio y esta vez cumplió del todo su cometido. En la prensa aparecería como un desprendimiento, una tormenta, algo explicable con el catálogo de desastres naturales que se podían manejar. Así nadie buscaría a los culpables.

Llevaron a Matthew a una especie de quirófano y le volvieron a atar, esta vez tumbado y semidesnudo. Parecía que iba a ser la nueva cobaya de algún experimento. Tamiko supervisó, una por una, todas las correas. Unos tipos vestidos de doctores se acercaron con material quirúrgico. Asmodeo parecía estar en una sala contigua hablando con otros hombres muy elegantes.

—Tamiko —susurró Matthew—. ¿Qué van a hacerme?

—No eres tú, Matthew, es tu cuerpo. Tu ADN. Conrad te escondió de nosotros durante años porque sabía que en su ADN había algún gen que se modificó con los experimentos sobre la inmortalidad. Tu ADN es el único que puede soportar la inserción de la Partícula de Dios.

—¿La tenéis de verdad?

—No hay más respuestas, Matthew. Ahora duerme. —Le acarició la frente sabiendo que era la última vez que lo iba a ver con vida.

Le suministraron una extraña sustancia azul y Matthew quedó como en estado de coma. Durante mucho tiempo estuvieron haciendo experimentos con su cuerpo, para ver si realmente podría soportar la inserción de la partícula. Matthew soñó con Perenelle, con su antigua vida, la de Conrad. Vio a su madre, Fanny, su mujer o su madre o quien quiera que fuera aquella preciosa y elegante mujer. Se estaba volviendo algo loco por dentro, realmente tenía demasiadas personalidades, demasiados recuerdos enfrentados. La vio y no supo bien cómo identificar ese amor que sintió. Casi había olvidado lo que era tener esa sensación, pero se repetía por primera vez desde hacía tantos años que intentó hacerlo más real. Buscar su olor, su tacto, su mirada. Eso que la hacía diferente a todas las mujeres, especial. Matthew sabía que era su último camino hacia la muerte, la de verdad. Siempre había oído que cuando mueres vienen a buscarte las personas queridas que ya han fallecido. Como si te mostraran el camino para hacértelo más fácil, más llevadero. Como para ahorrarte el dolor. Quizá era solo eso. Estaban vaciando su cuerpo de alma, lo sentía, sabía que cuando terminaran con él no iba a quedar nada.

Cuando les fue notificada la muerte cerebral de Matthew, Asmodeo y Tamiko subieron a la planta superior y comenzaron a dar órdenes a todos. Querían empezar lo antes posible con los preparativos de extracción de la partícula divina. Por fin iban a concretar un trabajo de años, de décadas, de siglos. Aquello para lo que habían nacido, para lo que se habían preparado a conciencia. Y esta vez nada debía fallar.

9

LA OSCURIDAD Y LA LUZ

El padre Morelli había estudiado con los mejores.
Cuando estuvo preso en la Unión Soviética aprendió
a buscar cualquier defecto en las celdas. Pero aquella
no parecía tener ninguno. Y decidió recurrir a un mé-
todo que le habían enseñado en la guerrilla. Se sacó
una de las muelas de porcelana que tenía en la mandíbula inferior y extrajo la pequeña cápsula que escon-
día en ella. Un derivado del yagé que provocaba una
parálisis momentánea del cuerpo, dejándolo en estado vegetativo, aunque consciente durante varios minutos. Como un fentanilo natural. Lo había probado
varias veces y había modificado la dosis para poder
absorber solo el tiempo necesario que debía parecer
muerto. Armó mucho ruido, como si le estuviera dando un ataque de ansiedad o un ataque cardiaco, con la
intención de que los guardias le miraran por las cámaras de seguridad o se acercaran a ver qué pasaba.
Montó tanto escándalo, tirando la cama, rompiendo
todo lo que había en la celda, que uno de los tipos se
acercó. Entonces se volvió a colocar la muela y mordió la pequeña cápsula. Su cuerpo cayó al suelo como
muerto. El guardia se puso nervioso, llamó a otros

dos compañeros y entraron para ver qué diablos le estaba pasando. Le tomaron el pulso y vieron que estaba muerto. Fueron a buscar a uno de los médicos y se quedaron solo dos hombres cuidando de él. Entonces despertó. Poco a poco sintió cómo la sangre volvía a circular por sus extremidades, debía tener cuidado, lo había ensayado muchas veces, si despertaba demasiado pronto su cuerpo podría no responderle. Se concentró y repartió toda su energía por los dedos y el corazón. Así le había enseñado el chamán colombiano que la había destilado los secretos de la ayahuasca, el DMT y las drogas naturales. Los tipos levantaron el cuerpo e intentaron reanimarlo, sabiendo que si se moría del todo iban a tener que dar demasiadas explicaciones a sus superiores. Pensaron que se trataba de un ataque cardiaco o algo así. Morelli sintió que ya era el momento y despertó. Redujo con dos golpes certeros a los guardias, les quitó las llaves, los *walkys* y las armas y salió lo más rápido que sus piernas, algo lentas todavía, le dejaron. Pensó que lo mejor era esconderse en el canal del aire acondicionado para, desde allí, recorrer todo el recinto y buscar a Matthew. No podía avisar a Perenelle, que los esperaba en los túneles, cualquier radiofrecuencia sería registrada por los Guardianes.

Por fin, después de inspeccionar desde arriba varias estancias vacías, encontró la sala donde permanecía el cuerpo de Matthew. Ya nadie lo supervisaba, estaba conectado, como muerto. Pensó durante unos instantes en cómo podría arrastrar aquel peso a través del sistema de aire acondicionado, pero esa idea era del todo imposible. Estudió la habitación, no solo debía tener cuidado al desconectarle, quizá la desconexión le provocaría la muerte, también había que pensar en cómo trasladar un cuerpo de más de 80 kilos, escapar de ese piso y encontrarse con Perenelle en los túneles de la planta tercera. Sin duda, un plan muy arriesgado. Sacó la pequeña cruz de madera que llevaba atada al cuello por una cuerdecita, la besó y se lanzó a la operación suicida. Debía actuar rápido, en cuanto los guardias se percatasen de que había metido en su celda a sus dos compañeros iban a cerrar todas las puertas del complejo y aquello se convertiría en una ratonera. Dio una patada a la rejilla y se deslizó hasta abajo. Intentó despertar a Matthew, pero era del todo imposible, una máquina avisaba de unas constantes vitales mínimas, un latido cada varios segundos. Como si su cuerpo estuviera en estado de hibernación provocada. Miró la cama y vio que tenía ruedas, quitó el seguro, agarró un par de botellas de suero del mismo que le estaban inyectando, le desenchufó varios cables y cogió una de las batas verdes de la habitación de al lado. El plan era sencillo, salir y entrar en el ascensor, si veía a alguien disparar o reducirle para no hacer ruido.

Empujó la puerta con los pies de la cama de Matthew y salieron hacia el pasillo. Muy despacio, sin llamar la atención, fue dirigiéndose al ascensor. Un par de guardias pasaron junto a él y le saludaron, Morelli levantó las cejas como sin dar importancia a la situación y siguió su camino. Por fin encontró los dos ascensores y pulsó la tecla, fueron varios segundos de angustia. Una de las puertas se abrió y entró con Matthew. Apretó el botón del tercer piso y la puerta comenzó a cerrarse justo en el momento en el que un tipo la detuvo con la mano y entró saludándole con normalidad, mientras repasaba unas hojas. Cada planta estaba separada varias decenas de metros, y se hacían eterno ir de un piso a otro, aunque el ascensor fuera de esos modernos, que no hacían ruido. El tipo había apretado el botón del segundo, por lo que tenía que hacer todo el trayecto con él. Parecía un científico más, alguien normal, que repasaba su trabajo e iba de un lugar a otro del recinto. El cura intentó tomar las pulsaciones de Matthew, sabiendo que si no se daba prisa quizá moriría en aquel viaje. Pero entonces observó la espalda de su compañero de viaje, en su cogote, justo por debajo del cabello, apareció una pequeña gota de sudor que bajó lentamente hacia la camisa. Morelli se le quedó mirando y el tipo, con un salto rápido y certero, sacó una pistola con silenciador y disparó dos veces. Uno de los disparos le atravesó el brazo al padre, pero tardó todavía un rato en darse cuenta de que estaba herido. Forcejearon, le sujetó las manos y comenzaron a utilizar todos sus conocimientos de técnicas ancestrales de combate cuerpo a cuerpo, situándose varias veces sobre el cuerpo moribundo de Matthew. El tipo era bueno, un profesional, en repetidas ocasiones golpeó al padre en el brazo, cuando se cercioró de que su balazo había acertado. Morelli cayó al suelo y el tipo se colocó encima, sujetándolo e intentando acercar la pistola al rostro del padre. El cura sentía que perdía las fuerzas, pero tenía que aguantar por la misión. Intentó zafarse, pero el otro le tenía bien inmovilizado. Se miraron a los ojos, sabía que llegaba su final. El tipo incluso sonrió levemente cuando el cañón de la pistola comenzó a acercarse inexorablemente a la mejilla del cura. Sonó un disparo, un disparo leve, como de silenciador, y el hombre se quedó mirándole a los ojos más fijamente, pero con la mirada perdida. El padre pensó que ya había llegado el final, que dentro de poco sentiría cómo su cuerpo se desactivaba y quedaría inerte. Pero no fue así, el tipo sangró levemente por la nariz y luego por la boca y cayó muerto encima de él.

—¡Menudo trasto este! —gritó Perenelle desde lo alto del techo del ascensor con una pistola todavía humeante—. Pensé que en un lugar así tendrían mejores instalaciones... ¡Padre! ¡Reaccione! —Morelli se quitó el cadáver de encima y le cogió prestada la pistola con silenciador, por si acaso venían más.

—Es la siguiente, ¿qué hacemos?

—¿Está sangrando?

—Sí. —El cura miró su orificio—. Ha entrado y ha salido, limpio. En unos minutos no tendré fuerza ninguna en el brazo, pero de momento puedo luchar y llevarme por delante a quien haga falta.

La puerta se iba a abrir y había dos opciones: o estaban todos los soldados esperándolos con un arsenal de ametralladoras o todavía no se habían dado cuenta de su huida. Se abrió, cargaron las pistolas, se miraron y apuntaron hacia el vacío que iba a aparecer. Nadie, ni un alma. Demasiado fácil, otra vez. Empujaron el cuerpo de Matthew hacia los túneles de salida y cogieron uno de los coches eléctricos que les conducirían al exterior. Perenelle lo había preparado bien. Salieron a la superficie, muy lejos de la entrada, y pusieron rumbo a Ginebra. El padre Morelli sabía que no podrían volver a la catedral, debían ir al segundo refugio, el piso franco, cerca de Chamonix, donde tenía el material necesario para una situación como esa. Lo había dispuesto todo por orden de Sheng, y ahora se dijo que, al parecer, el maestro chino había previsto todos sus pasos con antelación.

Llegaron a la casa y, una vez instalados, Perenelle salió; debía obtener varios ingredientes para intentar despertar a Matthew, o a Conrad, el que hubiera sobrevivido a la extracción y a los experimentos a los que le habían sometido. Sabía que habían extraído el alma del cuerpo, pero lo que ni los Guardianes, ni el propio Asmodeo podían prever era si las dos almas de Matthew se guardaban en el mismo lugar. Era todo un misterio lo que fuera a suceder, quién fuera a despertar.

* * *

Asmodeo miró a Tamiko. La visita de los científicos había concluido y los trabajadores que no tenían nada que ver con el proyecto tenían el día libre. Tamiko quería ser la que apretara el botón rojo, la última orden para poner en marcha el plan en el que llevaban tantos años trabajando. Los restos de Cristo, que reposaban en la sábana verdadera de Turín, los que había conseguido Asmodeo en aquella subasta de Saigón en el 75, por fin iban a cumplir su cometido. Tenían el cuerpo donde inocular la partícula divina. Ahora solo faltaba conseguirla y desentrañar la cadena de ADN. Algo para lo que habían construido el CERN, sin que ningún gobierno lo sospechara. Solo la plana mayor de los Guardianes lo sabía y por eso habían apoyado el proyecto desde su inicio. El gran tubo circular de 27 kilómetros por fin iba a cumplir su misión.

Habían desalojado de todas las plantas a todo el personal que no fuera estrictamente necesario para la operación. Tamiko accionó por fin el motor con una cierta excitación. Asmodeo apretó los dientes y esbozó una ligera sonrisa. El acelerador se puso en marcha con más potencia de la que nunca habían utilizado. Perenelle, en la habitación, sintió temblar algo en su interior, aunque estaba a decenas de kilómetros de allí. Una vez iniciado aquel proceso ya no habría marcha atrás. Nunca antes se había puesto a prueba la fiabilidad de la máquina con tantos gigavatios, nadie podría detenerlo hasta que no terminara el circuito completo. La extracción de la partícula, según las mediciones, comenzó. El túnel se llenó de luz, una luz de una intensidad jamás vista, los niveles de energía se dispararon y varios fusibles saltaron. Las partículas que viajaban a casi la velocidad de la luz de detuvieron de repente, nunca había pasado nada parecido dentro del proceso. Algo sobrehumano, inexplicable, estaba sucediendo. Incluso varios átomos quedaron suspendidos en el espacio como si el tiempo no fuera con ellos, una materia que estaba por encima de la gravedad, de la luz, de la energía. Más bien una materia que exhalaba energía propia, fuerte, repleta de potencia, de electricidad. Y del centro de todas aquellas partes ínfimas asomó por fin una figura redonda, perfecta, que contenía la luz primigenia. Todos quedaron en silencio y se miraron entre ellos, sabiendo que lo que estaban observando muy pocos seres en la galaxia lo habían podido contemplar. La materia del origen. Unos segundos después uno de los científicos se la entregó en un pequeño contenedor no más grande que una caja de cerillas. Tamiko estaba muy excitada, no podía contener la respiración. Asmodeo observó la pequeña cajita hermética y la alzó, los presentes hicieron una reverencia y comenzaron a recitar un antiguo salmo hasta que uno de los guardias de la planta sexta interrumpió el clímax avisándoles de la huida de Matthew y Morelli.

Tamiko no lo podía creer, ella misma había visto morir al *hacker*, le había dejado en aquel laboratorio sin posibilidades de volver a la vida. Asmodeo pensó unos instantes. Otro de los científicos se acercó con una tableta y le enseñó unas extrañas mediciones: los imanes no se habían detenido, es más, habían aumentado su funcionamiento y, si seguía esa progresión, el complejo entero explotaría. Había que desalojar inmediatamente.

Asmodeo sonrió, consciente de que Matthew, Ofiuco, había hecho otra de las suyas; pensó en si haber dejado el ordenador central del CERN casi tres minutos en manos del mejor *hacker* de la historia había sido una buena idea. Tenían que haberlo previsto cuando diseñaron la trampa. Aunque quizá no había sido él y se trataba de un ataque exterior, porque el ordenador con el que habían capturado a Matthew disponía de un circuito cerrado y no tenía acceso a casi ninguna parte del complejo. Tamiko agarró a Asmodeo y, junto a varios soldados, salieron a la superficie por una de las salidas secretas, las que nadie conocía excepto los más altos Guardianes. En la superficie, la gente corría de un lado para otro intentando salvar la vida. Los imanes se habían sobrecalentado y el magnetismo había atraído a la atmósfera cercana desencadenando un devastador huracán. Tamiko ordenó que uno de los helicópteros aterrizara y, con los soldados de confianza y varios científicos, metieron a Asmodeo en su interior y volaron en dirección contraria al inmenso huracán que se estaba formando justo en el epicentro del tubo de 27 kilómetros. Consiguieron elevarse, oscilando por las ráfagas incontroladas de aire, y dejó de sonar el piloto de peligro cuando lograron estabilizarse. Unos segundos más tarde vieron una extraña explosión que provenía del suelo, del acelerador. Como si hubiera explotado el vacío y el huracán hubiera hallado por fin la conexión con su centro de potencia. Todo saltó por los aires.

Perenelle se estremeció de nuevo. No había encontrado todas las hierbas que buscaba, por lo que decidió forzar la ventana de una de las farmacias del pueblo para coger lo que faltaba. ¿Sheng? Sentía que el maestro le lanzaba un mensaje esperanzador, vio una imagen del refugio de los Adeptos totalmente devastado y sintió un pequeño mareo. Muchos habían muerto en el ataque, lo había sentido hacía unas horas, cuando su sangre se había detenido unos segundos y el latido de su corazón se había ralentizado. Había sentido los gritos y el dolor de amigos, de familiares, de sus hermanos. Pero no todo estaba perdido, ese era el mensaje de Sheng. Deseó que no fuera tan solo una intuición y se dirigió hacia donde estaba Matthew con la esperanza de poder despertarlo. Asmodeo y Tamiko habían conseguido por fin la Partícula de Dios, aunque quizá el plan no había salido tal y como lo habían planeado.

Perenelle llegó a la casa con todo un arsenal para cocinar. Matthew seguía muerto, o dormido, o como quisiera que se llamara ese estado en el que se encontraba. El padre Morelli se había hecho él mismo un torniquete y había cauterizado la herida con alcohol y yodo. Luego lo pensó unos instantes y abrió una botella de vodka que había en la cocina. La olfateó varias veces, recordó viejos episodios, tembló ligeramente y sintió un pequeño pinchazo en el estómago. No bebió, aunque sí aspiró el aroma del líquido antes de rociarlo por su brazo. Mucho tiempo sin beber, muchas promesas. Era la primera botella de alcohol que abría en muchos, muchos años. Perenelle comenzó a calentar agua en unas cazuelas y el cura encendió el televisor para relajarse un poco.

—¿Es el CERN? —preguntó Perenelle escuchando las noticias—. ¿Ha desaparecido?

—Parece que ha habido una explosión, provocada por un huracán. Como una tormenta eléctrica, dicen, algo inusual en esta zona del mundo, pero que, teniendo en cuenta el calentamiento global de la Tierra, todo se podía esperar... No sé. De todas formas algunos también dicen que podría haber sido un accidente. Están entrevistando a varios de los científicos de los que visitaron el CERN.

En la televisión los científicos hablaban de la estricta seguridad a la que les habían sometido para que no vieran nada más que lo imprescindible, como si ocultaran algo dentro de aquella fábrica de sueños divinos. Uno aseguraba que el cráter provocado no había sido causado por un desastre natural, sino por un accidente en el túnel. Otros canales de información, los plenamente controlados, hablaban de accidente, de desastre, y salían expertos en catástrofes geológicas explicando la situación. El padre intentaba controlar su debilidad y entender las noticias, pero quería pensar que realmente habían dado un duro golpe a los Guardianes destruyendo unas de sus joyas de la corona.

—¿Crees que...?

—Fue Matthew, él *hackeó* los imanes, los sobrecalentó.

—Pero el hombre aquel...

—¿Asmodeo?

—Sí, dijo que todo había sido una trampa...

—Matthew me llamó, no sé de qué manera lo hizo, pero se comunicó conmigo psíquicamente, me dijo que introdujera el programa del pendrive. No sé si llegué a tiempo, pero lo hice. Quizá lo programó él desde el ordenador o fue la información que yo introduje. El caso es que es un problema menos a solucionar, sea como fuere.

—Allí parecían saber todos nuestros movimientos —afirmó el cura sin quitar la mirada de la televisión—. Era como si estuvieran un paso por delante. Hay cosas que no termino de encajar.

—Asmodeo es muy sabio, es como luchar contra la parte tenebrosa de Sheng. —Perenelle abrió un tubo y le aplicó a Morelli pomada en la herida de bala—. Casi no lo cuenta, ¿eh, padre?

—Justo a tiempo, apareciste justo a tiempo —decía el padre dejándose curar—. ¿Qué hacemos con Matthew? ¿Puedes inventar algo para sanarle?

—Lo que le acabo de dar de beber puede despertarle o terminar de perderle en la oscuridad donde se encuentra ahora. Depende de lo lejos que esté su alma de la conciencia. Él debe luchar en su interior. Creo que sé lo que le han hecho, el proceso al que le han sometido.

—¿Robarle el alma? —preguntó Morelli un poco contrariado, como si esa verdad atacara en lo más hondo su verdadera fe.

—Algo así, padre, algo así.

De pronto oyeron unos ruidos leves en el exterior. Era imposible, nadie los había seguido, nadie sabía de ese refugio, de esa casa. Perenelle se asomó con mucha precaución por una de las ventanas y no pudo ver nada. El cura abrió un pequeño arcón donde guardaba el armamento. Pero no les dio tiempo, en menos de un segundo entraron por todas partes con granadas de humo. Entraron por las ventanas, por el tejado. Estaban rodeados. Morelli cargó una de las recortadas, pero varios soldados rodearon el cuerpo de Matthew y amenazaron con disparar si no tiraban las armas. Perenelle y el cura se miraron y decidieron rendirse. Esta vez los soldados les ataron bien, ya no se iban a fiar de aquel padre que había desarmado a los mejores guardias. Los pusieron de rodillas mientras varios doctores entraban corriendo y se encargaban de Matthew. A eso era a lo que habían ido, a controlar al elegido para completar el experimento de la partícula. Los doctores intercambiaron sonrisas de alivio cuando le tomaron las constantes. No habían llegado tarde. No sabían que Perenelle le había hecho beber algo que podría cambiar su interior, y quizá ya no fuese tan fácil acabar con él. Les taparon la cabeza para que no pudieran ver nada y los llevaron en unos camiones blindados hacia un aeropuerto privado. Poco a poco todo se fue desvaneciendo, cada vez que respiraban a través de aquella tela sentían cómo iban perdiendo la consciencia. La habían impregnado con una sustancia que les sumió en un profundo sueño.

* * *

—Perenelle, por fin nos encontramos cara a cara... demasiado tiempo buscándote. Siempre supe que tú eras diferente a los demás. Tu poder no radica en tu esencia, sino en tu emoción. Siempre has sido la más emocional de todos nosotros. Pero eso es una ventaja y... un inconveniente a la vez.

Poco a poco Perenelle despertaba. La habían sentado en un gran sillón antiguo y llevaba ropa victoriana, incluso recordaba aquel vestido, le parecía levemente conocido. Asmodeo olfateaba su coñac y repasaba unos antiguos manuscritos.

—Una pena los de tus amigos Adeptos... Toda organización necesita una antítesis, su némesis, su antagonista... Ahora ya no tenemos quien nos haga sombra. Quizá eso nos vuelva descuidados, quizá tengamos que inventar algún enemigo consistente para que nuestros Guardianes no se sientan solos y relajen sus defensas. Yo también les había cogido cariño a Flamel y a Sheng, demasiados años estudiándolos, analizándolos, investigando sus movimientos, sus comportamientos...

—Ellos no han muerto —afirmó Perenelle, muy débil, mirándole a los ojos.

—Bueno, esa es tu esperanza. A diferencia de mí, que los considero ya como un objetivo cumplido. Cuanto menos tiempo tardes en darte cuenta mejor para todos... En fin, ¿qué tal el viaje? Un poco atropellado, ¿no?

—Eres un bastardo, debía haberte matado cuando...

—Han pasado muchos años de aquello, 1942, si no recuerdo mal. Otra vez elegiste el bando equivocado. Nunca se te dieron bien las guerras.

—Lo que hicisteis fue...

—El bien... el mal... ¿no os aburrís con vuestra moral impoluta? A veces hay que mirar las cosas desde otro punto de vista. Uno elige bandos, partidos políticos, equipos de fútbol, colores... sin pensar si realmente pertenece al bando correcto. Por comodidad. La emoción nunca reflexiona.

—No soy una de tus alumnas, yo he visto el bien y he visto el mal, por dentro. Sé muy bien en qué bando debo estar.

—¿Tú? Tú solo has visto una mínima parte de lo que tú llamas «mal»... Por cierto, muy listo ese Matthew, espero que sea realmente Conrad el que duerme en su interior. Será mejor si es el viejo Conrad, siempre supe controlarlo, anticiparme a todos sus movimientos. El otro, el *hacker*, es demasiado imprevisible... Muy listo, pero cayó en la trampa.

—Lo sabía, siempre supe que todo estaba programado...

—Al que no esperaba era al bueno de Morelli, le hacía borracho en cualquier casa de putas de las afueras de Ámsterdam, por lo menos así estaba la última vez que lo vi.

—¿Cómo sabías que vendríamos? ¿Max?

—Max me sirvió bien, todo hombre necesita vanidad y estar al lado de los grandes provoca una sensación muy cercana a la maldad. Los enanos que se rebelan contra Gulliver sin entender que son diferentes, que no pueden pretender lo mismo. Lo que a unos les cuesta años de estudio y de esfuerzo otros lo hacen... —chasqueó los dedos— así, sin ningún esfuerzo. Y si preguntas a la mayoría de los hombres... La mayoría no admira a los buenos, los mataría, los lanzaría al vacío. Cuando me enteré de que venías con Matthew preparé todo.

—Era a mí a quien querías. Ya te lo dije una vez: prefiero morir a unirme a los Guardianes.

—Aunque me siento un poco molesto, esperaba algo más de ti. ¿De verdad pensabais que os iba a dejar marchar como si nada? Sabía que tú no entrarías al complejo por miedo a que te... olfateara. Pero cuando apresamos a Ofiuco sabíamos que vendrías a por él, que intentarías llevarte el cuerpo de Matthew. Por eso le introdujimos un pequeño localizador... sí, algo tan sencillo. ¿No lo pensaste? Solo hubo algo con lo que no conté.

—¿Morelli?

—No, eso estaba dentro de lo posible y me lo imaginé cuando supe que pasaríais por Ginebra. Sheng confía en ese cura, siempre le gustaron los casos perdidos... No, fue Matthew, me sorprendió... Destruir los imanes, destruir el CERN fue un golpe de efecto. En menos de tres minutos destruyó el lugar más encriptado de la Tierra, más que el Pentágono.

—Es Conrad, él siempre fue uno de los mejores.

—Bueno, Conrad no era tan... brillante. Eso tiene el ajedrez: a veces, cuando juegas con los grandes, hay cosas que no ves, por mucho que estudies la partida. Pero, ¿qué sería la vida sin estos pequeños imprevistos? La inmortalidad es tan aburrida a veces...

—¿Dónde estamos?

—Ya lo sabes...

—¿El Templo?

—¿De verdad no sabíais donde estaba? —Sonrió—. Siempre me extrañó que no vinierais a visitarnos.

—Si lo hubiéramos sabido...

—Habríais hecho lo mismo que nosotros hemos hecho con el refugio. Pero para ti tengo una... digamos... propuesta. Quiero que nos entendamos. Contigo a mi lado podríamos ser grandes, preparar su llegada, estar a su lado cuando regrese de las sombras.

—Prefiero morir a servir al anticristo.

—Muerta no me sirves de nada —como Perenelle callaba, Asmodeo prosiguió—. Cristo, anticristo... ¿no entiendes que son parte de lo mismo? Los dos quieren a la humanidad... a su manera.

—Nosotros queremos la libertad y vosotros utilizáis a la humanidad para vuestros fines. Queréis esclavos que produzcan para vosotros, que se maten entre ellos sin saber que están jugando a vuestro juego, dictado en una mesa por miserables como tú.

—Deberías oírte, pareces Flamel, sus mismas palabras, pensaba que te habrías emancipado después de tantos años. Una mujer que solo posee las ideas de su marido... —Asmodeo negó varias veces con la cabeza—. Las épocas cambian, ahora puedes pensar por ti misma.

—¿Qué vas a hacer con Morelli?

—Darle una botella de vodka —sonrió satisfecho Asmodeo —. Es mortal y tiene debilidades...

—¿Qué quieres de mí?

—La piedra.

—No la voy a hacer para ti.

—Depende de lo que te ofrezca a cambio.

—Has matado a todos los que me importan.

—¿Y Matthew?

—Matthew ya está muerto.

—¿Muerto? Conrad era el único que tenía el genoma secreto de la inmortalidad, el que hemos estado buscando todos estos años. No creo que pueda morir tan fácilmente. Pero tú al que quieres es a Matthew, no a Conrad, lo veo en tus ojos. Entonces... ¿por tu vida?

—Mátame ahora si quieres, mi vida ya no vale nada, he vivido suficiente.

—Bien, lo suponía. Puedo drogarte y hacer que la fabriques, aunque en ese estado podrías no acordarte de la Palabra —Asmodeo apretó el interfono que había sobre la mesa —. Tráiganlo. —Volvió a mirar a Perenelle —. Quizá por él sí la fabricarás.

Permanecieron en silencio durante un par de minutos. Perenelle barajó todas las posibilidades, intentando ser fuerte, intentando prepararse de la mejor manera para lo que fuera a entrar por esa puerta. Al cabo trajeron a un hombre que arrastraba las piernas, muy débil, con una capucha. Le sostenían dos soldados y, a la orden de Asmodeo, le tiraron al suelo. Perenelle noto temblar su corazón y se acercó lentamente hacia aquel cuerpo que habían arrojado.

—¿Nico? —preguntó casi en un susurro—. ¿Sigues vivo?

—¿Perenelle? —dijo el hombre intentando encontrar la dirección de donde provenía la voz.

—Quítale la capucha —le aconsejó Asmodeo sonriente. Ella lo hizo y apareció la única persona por la que habría dado su vida hasta aquel momento, el único ser con el que Asmodeo podría ganar la partida: Nicolás Flamel.

—Fue fácil encontrarlo, cuando mandé a mis hombres al refugio no hallé más que cadáveres, pero... siempre con su bonhomía, intentando salvar vidas. Estaba tan débil que no fue necesario ni matarle.

—Perenelle, no dejes que te manipule —intentaba decir Flamel—. Quiere que fabriques la piedra.

—Él no es como tú, está dispuesto a sacrificar tu vida... Nunca te quiso lo suficiente... ¿Se lo contaste?

—No —dijo entrecortadamente Perenelle.

—¿No se lo contaste? —le preguntó Asmodeo. Miró a Flamel—. Fue en... ¿Francia?, casi no lo recuerdo. ¿Nunca se lo contaste?

—No había nada que contar —contestó cortante Perenelle.

—¿Nada que contar? Vaya, siento no haberte impresionado... —Rio Asmodeo—. Bueno, pero lo nuestro no es lo importante, lo importante fue tu paso por este lado del tablero.

—Perenelle, ¿de qué está hablando? —preguntó Nicolás asombrado.

—No utilices eso ahora, sabes que tuve la oportunidad y la deseché —respondió Perenelle.

—¿Fue por ella? —volvió a preguntar Flamel—. Ya te lo expliqué... Sabes que nunca la amé

—No, no fue por ella... o sí, quería vengarme de ti y...

—La culpa —interrumpió Asmodeo—. Siempre la culpa, atacándoos a los que lucháis por el bien. Es mejor este lado, las piezas negras, todo sucede porque tiene que suceder, nada más. Solo Dios tiene responsabilidad en nuestros actos. —Hizo una señal a los soldados para que encapucharan a Flamel y se lo llevaran de nuevo—. Suministradle 10 miligramos más.

—¿Qué le estás haciendo? —inquirió Perenelle con todo su odio.

—Lo que debí hacer siglos: acabar con la disidencia. Cuando venga Él ya no habrá trabas.

—Vale... —Perenelle pensó unos instantes—. ¿Quieres la piedra? La haré, pero ¿cómo puedo fiarme de que vas a salvar su vida?

—¿Mi palabra? —Sonrió Asmodeo—. ¡Ah!, bueno, imagino que eso no es suficiente... Apelaré a los 13 sabios del Templo, diré los salmos. Ya sabes que eso no puedo romperlo.

—¿Y después?

—Una vez os haya despojado de la inmortalidad, de vuestro poder, viviréis una vida tranquila y apacible y moriréis de viejecitos en un pueblecito que elijáis... ¿La Toscana, España, Canarias, Hawái...?

—¿Y ver cómo Él regresa o pone el mundo a sus pies? —insistió Perenelle.

—Lo mismo para entonces ya has comprendido la misión divina de los Guardianes y has cambiado de parecer. A veces hay que cambiar para evolucionar, piénsalo. Habéis perdido. Aceptar la derrota es vencer de alguna manera.

* * *

En el quirófano, Tamiko supervisaba de nuevo la evolución de Matthew. De vez en cuando no estaba de acuerdo con los planes enrevesados de Asmodeo, pero, al final, siempre vencía, eso era innegable y ese no era el momento de discutir, sino de obedecer y preparar el recipiente para el regreso del anticristo. A ella le gustaba el poder, la gente poderosa, y Asmodeo iba a ser la persona más cercana al nuevo ser que iba a dominar el mundo. De alguna manera sentía que ella también había moldeado a Matthew, le había preparado para albergar la partícula divina. Debían extraer el genoma de la partícula que habían conseguido y combinarla con la de Matthew. Reprogramar la mutación de los 23 pares de cromosomas para que el resultado no reventase el cuerpo del *hacker*.

* * *

Perenelle caminó por el enorme palacio victoriano, rodeado de un exuberante verdor, propio de Inglaterra, de Irlanda. Asmodeo la había dejado libre para que reflexionara sobre su decisión. Sabía que no podía escapar, si lo hacía matarían a Flamel. Debía pensar. Mientras, elaboraba un plan que podría implicar su propia muerte.

Era casi imposible encontrar un lugar así en Nuevo México, rodeado de desierto. Un lugar secreto, que no figuraba en mapa alguno, imposible de rastrear por los satélites. El Templo llevaba más de un siglo inamovible, elaborando su propio mito. Ella había oído hablar de aquel lugar, todos los Adeptos habían escuchado mil historias sobre aquella leyenda que ahora se hacía realidad. Pensó, intentó buscar el consejo de Sheng, pero él seguía sin ponerse en contacto con ella. Debía aceptar el encargo de fabricar la piedra y salvar la vida a Flamel o esperar alguna señal, una señal cualquiera, del maestro, de Matthew, de Conrad. Se encontraba un poco perdida en aquel paraíso. Tampoco sabía qué había sido del padre Morelli. Decidió regresar a la biblioteca donde se encontraba Asmodeo y aceptar fabricar la piedra filosofal. De esa manera ganaría tiempo y, de momento, salvaría la vida de Flamel, el más importante de los Adeptos y su antiguo amor.

* * *

Matthew comenzó a mover los dedos, levemente, casi nadie se dio cuenta. Tamiko había ido a visitar la celda del padre Morelli, que seguía convaleciente del disparo y muy débil después de las torturas a las que había sido sometido.

Matthew sentía a Perenelle e intentaba ponerse en contacto con ella, pero su fuerza psíquica había desaparecido. Era demasiado esfuerzo físico y todavía no sentía su cuerpo. Si estaba despertando, eso significaba que el brebaje que había preparado ella, el que le había dado a beber en Chamonix, le había devuelto a la vida. Ahora debía saber quién era. Todavía no tenía recuerdos lejanos, solo imágenes borrosas de no más de dos o tres días, el CERN, algún *flash* de la huida, un helicóptero. Debía mantener la calma y observar. Sentía poder, mucho poder, como nunca lo había sentido antes. Una comunicación con la naturaleza, con los sonidos. Escuchaba las redes informáticas, las conversaciones cercanas, de otras habitaciones, las risas, los pasos. Estaba demasiado aturdido para poder diferenciar todo el maremágnum que le sobrevenía y por eso debía buscar el equilibrio.

* * *

—Me alegro de que hayas reflexionado, Perenelle —comentó Asmodeo sin apenas levantar la vista de sus libros al ver que ella entraba de nuevo—. Tienes todo dispuesto en el laboratorio, si te falta algo no tienes más que pedirlo... Como comprenderás, no podrás ser libre hasta que tengas todo preparado y comprobemos que es la piedra de verdad.

—¿Cumplirás? —preguntó ella.

—Un Guardián siempre cumple... sus juramentos y sus amenazas. Puedes estar tranquila. Flamel no morirá si tú cumples tu parte.

Varios fraguadores y magos negros acompañaron a Perenelle al laboratorio, debían asegurarse de que hacía lo que habían pactado, y ella comenzó su labor.

* * *

Matthew abrió los ojos. Observó a los médicos y se levantó con mucho esfuerzo. Era como si un velcro le agarrase a la cama y hubiera tenido que tirar de su piel. Intentó controlar el mareo y permaneció sentado unos instantes. De pronto, al observar su mano vio su propio cuerpo todavía tumbado sobre la cama. Se asustó y sintió cómo los latidos del corazón se le aceleraban. Parecía un viaje astral, una separación del cuerpo, aunque más bien se trataba de una ubicuidad, de una duplicación. Sin duda debía ser Conrad el que controlaba su cuerpo, el levantado. Como Sheng, estar en dos sitios a la vez. Los doctores seguían comprobando las constantes de su organismo, pero ninguno notó su doble presencia. Decidió levantarse y comprobar que podía moverse. Se deslizó por varias salas intentando buscar a sus amigos, pero encontró algo mucho más interesante que cambiaba todo lo que sabían del plan. Una mujer estaba siendo observada por Tamiko, varios doctores y científicos extraían todo tipo de datos de su cuerpo. La mujer estaba semiconsciente. Matthew entró en la sala para poder escuchar lo que decían y sintió el miedo, la mirada de terror de aquella chica, tumbada en la cama, esperando un terrible destino. Ella abrió levemente los ojos y le miró, le veía, él lo sentía, era la única que podía observar sus movimientos. Matthew se acercó y la besó en la mejilla. De alguna manera intuía que la conocía, de otro tiempo, Conrad la conocía y sabía que era especial, aunque no conseguía recordarla.

—La secuenciación está al 40 por ciento —comentaba uno de los doctores a Tamiko.

—¿De cuánto tiempo disponemos? —preguntó la japonesa.

—Tres... cuatro horas...

—Hay que acelerarlo, no sabemos si Conrad aguantará tanto tiempo.

—Mire los gráficos —continuó el doctor—. No tenemos la seguridad de que... El ADN está defectuoso, no tenemos la serie completa; definitivamente, hay que combinarlo con el ADN de Conrad.

—¿Necesitamos a Conrad vivo? —preguntó Tamiko.

—Desgraciadamente sí, el ADN de la sábana es tan potente que necesita una muestra vital demasiado grande. Nunca hemos trabajado con un ADN tan...

—Divino.

—Sí, divino... no es humano del todo, las secuencias que hemos extraído de la sábana solo completan 23 cromosomas, los maternos; los del padre no aparecen, no podemos definirlos, no tenemos máquinas capaces de descifrar la otra secuencia. Para eso necesitamos la partícula divina.

—Pero la partícula solo contiene 13... —apuntó Tamiko.

—Exacto —el doctor suspiró—. Los otros hay que extraerlos de Conrad.

—¿Aguantará ella todo el proceso? —preguntó la japonesa mirando a la mujer que estaba sentada.

—María ha soportado todas las pruebas a las que la hemos sometido. La gestación del antimesías no creemos que dure nueve meses, será cuestión de semanas, de días... Quizá ella muera en el proceso del alumbramiento, no sabemos bien el tamaño del feto que se va a crear.

Matthew acarició la mano de la mujer, que parecía no estar plenamente consciente. ¿Cómo había podido dejarse engañar por Tamiko? Pensó que algo debía cambiar en su vida si volvía a su cuerpo, dejarse de tonterías y comenzar a creer en el mundo, en Perenelle, decirle cuánto la había echado de menos cuando había estado muerto, en ese lugar donde no existía el tiempo ni el espacio. Tamiko era un Guardián más, sin escrúpulos, sin amor. Ahora, por lo menos, sabía que él solo era un medio, que iban a utilizar el secreto, la Palabra, como todos lo llamaban, de su inmortalidad, para completar la secuencia genética. Claro, la única parte humana de Cristo era la de una virgen, la otra mitad era divina. Quizá era el momento de comenzar a tener fe en la religión. Quizá Conrad tuviera fe, pero Matthew, aun viviendo lo que estaba viviendo, seguía sin dejar crecer ese sentimiento que hace creer en lo increíble. ¿Dios, unas criaturas extraterrenales que habían traído la partícula divina de la vida desde otro lugar del espacio? Demasiado complicado para un *hacker*, aunque en ese instante se estuviera dando un paseo por dos dimensiones físicas diferentes. Ya tendría tiempo de entender todo. Ahora debía encontrar un ordenador, eso era lo importante. Si lo que decían era cierto, quedaban menos de tres horas para que su cuerpo se consumiera como una naranja al ser exprimida y toda su esencia quedara reducida a un elemento más de la secuencia divina de ADN del óvulo fecundado que querían implantar en aquella pobre desdichada. La criatura que iba a nacer la devoraría por dentro y después de ella a toda la humanidad. Notaba también que poco a poco la energía se le iba terminando, que su primer viaje de estas características no iba a durar demasiado, tenía que darse prisa.

* * *

Perenelle seguía fabricando la piedra bajo la supervisión de los magos negros, que iban apuntando todo lo que hacía y discutían entre ellos las cantidades de materia prima que habían sido absorbidas por la condensación. Sabía que un pequeño error podría acabar con la vida de Flamel, pero seguía esperando una señal.

* * *

El padre Morelli seguía muy débil, le habían sometido a un ritual negro. Varios de los monjes del Templo le habían vestido con los ropajes de siervo del anticristo, era un honor pertenecer a ese cuerpo, pero solo podían optar a ese privilegio los hombres que hubieran encomendado su alma a Dios. Hombres de fe inquebrantable. El ritual tenía la Palabra Antigua, la que transfiguraba a los hombres buenos en siervos del mal. Algo inimaginable, el dolor al que pudo ser sometido. Muy pocos lo habían soportado y ya esperaban la venida del anticristo para volver a la vida.

Estaban en la oscuridad, en el mal absoluto. Solo quien había conocido el bien y había luchado por él podría ser de la guardia del que iba a venir.

El padre había sobrevivido a duras penas al ritual, pero el camino ya era irreversible. Él lo sentía así, cada vez veía la luz más lejos y sentía más cerca el frío y la oscuridad. E intentaba recordar viejas canciones rituales de la selva amazónica, las que le había enseñado el chamán, el mismo que le había predicho su destino fatal. Esta vez no tenía cápsulas en las muelas, ya lo habían comprobado. No tenía ninguna posibilidad más que esperar a que alguien le sacara o de una vez terminasen con su vida. No entendía por qué seguía aún vivo.

* * *

Matthew accedió a uno de los ordenadores, por fin, en una pequeña sala. Un terminal viejo y lleno de polvo en el que nadie había reparado. Lo encendió y sonaba como una vieja carraca, pero funcionaba. El monitor era de esos de tubo, enorme. A Matthew le gustaba atacar desde ahí, era como volver a empezar, aquel viejo cacharro se parecía a sus primeros ordenadores, como si fuera una señal o un juego macabro. Lo primero que hizo fue conectarse como un fantasma, que nadie supiera desde dentro que alguien intentaba establecer conexión con la red central. Esta vez no podía caer en ninguna trampa, y si Asmodeo era el encargado de la seguridad informática no debía dar ni un pequeño paso en falso. Estaba a punto de abrir una de las puertas de seguridad, solo debía presionar la tecla de *enter* para introducir el logaritmo, pero torció el gesto. Su intuición seguía intacta, siempre le había pasado cuando detrás de una puerta iba a ser descubierto. Lo pensó, respiró y dio marcha atrás. Debía cambiar la estrategia, pero ¿cuál? Pensó unos instantes, todo tipo de locuras, números, encriptaciones, todo lo que había hecho desde que comenzó a ser Ofiuco, el mejor. Los mejores lo son porque lo demuestran en las situaciones más extremas. Y ese era su momento. ¿Qué había hecho?, ¿a quién había pirateado que le pudiera servir en un momento tan crucial? Se volvió a meter en su Fuente de los Secretos y sonrió pensando que un poco de locura no vendría mal.

Lo primero era saber las coordenadas exactas donde se encontraban, en Nuevo México, Estados Unidos. Por lo menos había vuelto a su país. Era como estar en casa de nuevo. Uno no sabe lo que es ser emigrante hasta que no puedes vivir en tu país por miedo a perder la vida. Cuando emigras demasiados años ya no perteneces a ningún lado. Nunca vuelves a tener un hogar. El logotipo del Pentágono apareció por fin en la pantalla. Matthew volvió a sonreír. «A grandes males, grandes remedios», pensó. Comenzó a burlar la seguridad del lugar más peligroso para los piratas informáticos, pues si *hackeabas* el Pentágono ibas directamente a la cárcel, y más desde lo de las Torres Gemelas. Pero esta vez debía dejar una huella, hacerlo como un *hacker* bueno, pero no como el mejor. Debía dejar el suficiente rastro como para que los astutos informáticos caza-*hackers* lo atraparan, pero lo justo para que no sintieran que era una burla. La idea era tan loca que podía funcionar: intentar reprogramar los misiles nucleares e intentar llegar hasta la fase de activación del protocolo nuclear. De esa manera el vicepresidente sería avisado y mandarían las tropas SEAL a la ubicación del atacante. Quizá en menos de una hora todo estaría rodeado de militares dispuestos a pedir explicaciones de una manera muy expeditiva. Una a una fue desencriptando las claves de seguridad hasta dejar todo lo más cerrado posible. Ahora solo debía esperar que alguno de esos informáticos que habían vendido su alma al enemigo, y trabajan para el gobierno, le pillara. Quizá su amigo Némesis; le conocía bien, se vendió por un sueldo interesante al mes y ahora tenía su mujer, sus dos hijos, su amante y jugaba al béisbol todos los domingos con sus amigos de la oficina. Él era el mejor, bueno, el segundo mejor, en sus tiempos. Debía tener cuidado de que no reconociera su ataque. Ahora solo debía esperar unos segundos, quizá un par de minutos. Mientras, intentaría buscar a Morelli y a Perenelle.

Ella, en su afán por salvar la vida de Flamel, seguía fabricando la piedra original, pero sintió por fin una señal: «¿Matthew?», dijo en voz alta y miró por toda la habitación, por todo el laboratorio para ver si era su voz realmente la que había oído. Estaba vivo, de nuevo le podía sentir. Se concentró y le envió la imagen de Flamel, torturado, débil. Debían salvarlo. ¿Era esa la señal que esperaba? Quizá. Pensó que era el momento de activar el plan que había dispuesto para un caso desesperado: miró la mezcla que estaba preparando y varió una pequeña, una minúscula, cantidad de ácido, suficiente para cambiar el PH y convertir la piedra en una bomba de incalculable potencia. Había decidido: su vida, la de Flamel, no eran tan importantes como paralizar la llegada del antimesías. Una piedra impura. Ninguno de los magos negros se había dado cuenta. No sabían hacer una piedra de tal magnitud como la que estaba creando Perenelle, solo ella era capaz de fabricarla. Por fin lo entendió todo, si Asmodeo poseía la piedra y controlaba el poder del anticristo, nadie podría detenerlo y convertiría la Tierra en la sombra de los Guardianes, esclavizando a la humanidad por milenios. Prefería morir, sacrificarse por aquello por lo que llevaban luchando tanto tiempo. Pero antes se llevaría por delante a tantos Guardianes como pudiera.

* * *

—Espero que te dé tiempo, Matthew, a hacer eso que estés haciendo —dijo para sí Perenelle al meter la piedra en el atanor, el horno de alquimia. Cuando el horno alcanzara los grados suficientes todo explotaría y sería parecido a una explosión nuclear de pequeño rango, como el punto cero de Hiroshima. Y es que la vía seca para la obtención de la piedra era mucho más rápida que la vía húmeda, pero enormemente peligrosa si se modificaba algún elemento.

* * *

Asmodeo estaba exhausto, esta vez nada podía fallar. Leía los últimos libros del Apocalipsis, los que no aparecían en la Biblia oficial, los escritos apócrifos donde relataban el comportamiento del anticristo, sus acciones, sus gustos. Algunos estaban escritos en lenguas tan antiguas que hasta a él, un experto en lenguas muertas, le costaba a veces seguir el hilo del relato. Llevaban siglos recopilando todos los documentos que hablaban de su venida, de cualquier parte del mundo, de cualquier religión. Se encendió el aviso de videollamada.

—Maestros —dijo Asmodeo, cuando vio de quién se trataba—. Todo marcha según lo previsto. Ninguna novedad.

—¿Novedad? —respondió bastante contrariado uno de los sabios—. Quizá sea la última oportunidad que te vamos a dar, si fracasas correrás la misma suerte que tu antecesor.

—Eso no sucederá, maestro.

—Entonces, explícanos por qué se dirige un contingente de tropas de élite hacia el Templo. Ha interceptado un ataque informático desde dentro. No tenéis mucho tiempo.

—¡Es imposible! —Volvió a mirar las cámaras de seguridad que tenía siempre conectadas a Perenelle, Morelli y Matthew—. Conrad ha estado en la camilla todo este tiempo...

—¿Y Ofiuco? —preguntó incómodamente otro de los sabios.

—¿Ofiuco?

—Debías haberlo previsto, como te dijimos. ¡Soluciónalo antes de que lleguen las tropas!

Tarde, quizá ya era demasiado tarde. Asmodeo no estaba acostumbrado a que se adelantaran a sus movimientos. Miró por la ventana y vio a lo lejos varios helicópteros Chinook acercándose, junto a ellos un par de Apaches en posición de combate. Las tropas SEAL no acostumbraban a hacer muchas preguntas, de hecho, estaban acostumbrados a obedecer órdenes sin pensar, para eso habían sido entrenados, para perder la conciencia de sí mismos y convertirse en una máquina de matar sin límites. Asmodeo lo sabía, había tenido a sus órdenes a más de uno de las fuerzas especiales de diferentes países. Si esos tipos venían es que todo había fallado, su gente del Pentágono no les había avisado. Alguien estaba controlando la red desde dentro. Apretó el botón rojo que tenía en el segundo cajón del despacho, abrió la pequeña llave, destapó el plástico de seguridad que recubría el botón y lo apretó. La alarma se activó en todo el recinto. Cogió el teléfono interno y avisó a Tamiko.

—Busca a Conrad, nos atacan, avisa a los hombres. Hay que enfrentarse a ellos hasta que podamos salir con seguridad. —Asmodeo suspiró y sonrió, en el fondo le gustaba que Conrad y Matthew hubieran ganado el primer movimiento. Ahora debía estar atento y preparar la huida.

En todo el recinto se activó la alerta roja. Nunca había sucedido nada semejante y, aunque habían hecho simulacros, muchos no sabían bien adónde dirigirse. Gente corriendo de un lado a otro, asustados, salvando lo que podían de sus investigaciones. Los soldados se juntaron cerca del patio exterior.

—¡Nos hemos estado preparando muchos años para algo así! —decía Blanker, el comandante que había entrenado durante años a los paramilitares al servicio de los Guardianes—. ¡Es hora de demostrar de qué estamos hechos! Debemos dar tiempo a los Maestros para que salven objetos muy valiosos, así que ningún SEAL va a entrar hasta que yo lo diga. Tomen posiciones y ya saben lo que tienen que hacer. —Los miró por última vez—. Y recuerden que ellos luchan por su sueldo, nosotros por la eternidad. Disparen a matar. Si alguno de ellos atraviesa ese muro es que todos ustedes están muertos, si no es así, yo me encargaré de que lo estén. ¡Me han oído!

—¡Sí, señor! —gritaron todos excitados.

—¡Por los Guardianes!

—¡¡Por los Guardianes!!

En unos instantes, todo parecía un campo de batalla. Los helicópteros Apache se habían acercado demasiado y estaban avisando por los altavoces de que entregaran las armas. El aviso fue respondido por los hombres de Blanker con un misil que destrozó el rotor de cola de uno de ellos. De la tierra habían surgido varios lanzamisiles inteligentes de última generación. Sin duda no se esperaban algo así. Los SEAL estaban acostumbrados a luchar contra ejércitos con menos medios, menos entrenados. Pero esta vez la contienda iba a ser de igual a igual. Incluso los Guardianes poseían mejor y más moderno arsenal.

Los Chinooks dejaron de acercarse ante el ataque y se mantuvieron a la espera. Debían estudiar aquel recinto del que no tenían referencias. En los satélites esa zona permanecía vacía, ninguno daba mayor señal que la de unas rocas en el desierto. Estaban algo desconcertados y se pusieron en contacto con el Pentágono para recibir órdenes y pedir refuerzos. Mientras, el otro Apache comenzó a abrir fuego contra las posiciones de misiles y ametralladoras antiaéreas. Era la guerra, la que tantas veces habían desarrollado los SEAL fuera de su país, ahora en su propia tierra.

Asmodeo, mientras ordenaba recoger todo según el protocolo, intentaba reabrir las líneas con los infiltrados de la Casa Blanca, pero era imposible. Las líneas se cruzaban y acababan derivándose a Puerto Rico, a Guatemala, teléfonos de bares, de casas particulares.

Solo seguía operativa la conexión con los Maestros, que estaba fuera del centro de inteligencia del Templo. Debía concentrarse y analizar despacio sus movimientos. En primer lugar, tenía que ir a por Conrad.

* * *

Matthew había calculado el tiempo que tardarían en activar todas las alarmas. Buscó por la red interna a Perenelle, pero no la encontró, estaba en un lugar secreto, fuera del alcance de las cámaras. Encontró al padre Morelli en una de las celdas de seguridad. La abrió y luego *hackeó* todas las claves para que fuese imposible reactivarlas de manera electrónica. Le tendrían que encerrar con candado y cerrojo a partir de ahora. Bloqueó la entrada a los laboratorios y se preparó para la difícil pregunta: ¿podría introducirse de nuevo en su cuerpo? Cada vez sentía menos energía, como si la respiración se le fuera agotando. Se miraba las manos, que eran más transparentes cada minuto que pasaba. Era el momento. Miró por última vez la pantalla para ver si todo estaba correcto y salió hacia donde se encontraba su cuerpo tumbado. Como un espíritu errante atravesó las paredes, aunque cada vez le costaba más caminar. No entendía por qué no podía flotar, si no tenía una estructura celular concreta, material; lo lógico sería poder levitar, no pesar como un cuerpo. Lo intentó un par de veces, pero no consiguió nada. Sonrió pensando que hasta para ser fantasma había que hacer un cursillo, que si algún día volvía a ver a Sheng le preguntaría cómo se hacía aquello de estar en dos lugares a la vez y no volverse completamente loco. Cuando llegó, los médicos estaban extrayendo los últimos tubos con las muestras de ADN de su organismo. Se sentía muy débil. Debía volver a entrar en su cuerpo, pero eso tampoco lo había aprendido. Decidió asustar un poco a los médicos y comenzó a tirar todo lo que encontraba a su alrededor, los tipos, al ver cómo todo caía sin orden alguno, pensaron que la planta se vendría abajo por el ataque, dejaron todo lo que tenían entre manos y guardaron las muestras en las maletas. Intentaron salir, pero Matthew había sellado las puertas desde el ordenador y solo él sabía la clave. Mientras trataban de pasar sus tarjetas identificativas y teclear la clave de seguridad con miedo a no poder salir, Matthew se miró a sí mismo y se concentró todo lo que pudo. ¿Debía dar un salto? ¿Debía introducirse lentamente?... Cerró los ojos, buscó una razón para vivir: Perenelle. Nunca hubiera imaginado que la razón más potente para vivir sería aquella enigmática mujer de la que se había enamorado perdidamente sin apenas darse cuenta. Pensó en ella y se dejó llevar. Sintió que no tenía que hacer nada, como si careciera de la capacidad de movimiento. Su cuerpo ejercía una atracción de la que no podía más que dejarse llevar. En unos segundos sintió la oscuridad, despertó y abrió los ojos. El techo del laboratorio, la lámpara. Miró hacia los lados y vio sus brazos llenos de cables. Estaba dentro, y se sentía fuerte. Por fin notaba que su cuerpo le pertenecía. Le inundó una extraña sensación, como de haber cambiado: ahora era solo uno, una persona, Matthew o Conrad, quizá no lo sabría nunca. Se levantó. Los médicos se quedaron petrificados del susto, como si de verdad hubieran visto esta vez al fantasma que antes no podían ver. Matthew le indicó a uno de ellos que le diera su bata, para no ir desnudo a salvar el mundo se dirigió a la puerta y, ante el asombro general, pulsó con su pulgar el botón de apertura. Todos corrieron hacia la salida. Matthew cerró los ojos de nuevo, debía recordar el mapa del Templo que había grabado en su memoria fotográfica y rescatar al padre.

* * *

Perenelle sintió temblar algo, de nuevo, en su interior. Matthew, Conrad, la estaba buscando. Los magos que supervisaban la preparación estaban algo nerviosos con la alarma roja. Sabían que disponían de poco tiempo más. Ella aprovechó la pequeña confusión para cocinar un potente ácido; simuló que se trataba de un líquido con el que rociar la piedra después de cocer. Cuando lo hubo terminado, lo metió en un pequeño recipiente. Sabía que no tenían demasiado tiempo, las explosiones y los disparos que se escuchaban en el exterior no era nada comparado con la deflagración que se iba a producir cuando la piedra estallase. Miró a los lados disimuladamente y calculó la posición exacta de los tres magos negros. Agarró el ácido y suspiró una sola vez. Con un movimiento rápido, agachándose y girando, roció con el líquido a sus vigilantes. Los tres sonrieron al ver que no pasaba nada. Ella los miró a los ojos y les hizo un guiño.

—En un minuto tendréis vuestra piedra.

El ácido tardó unos segundos en hacer el efecto deseado. Se multiplicaba a medida que se oxidaba. Los tres magos comenzaron a arder e intentaron cogerla.

Perenelle saltó por encima de ellos y salió de aquel laboratorio sin mirar hacia atrás. Los magos sucumbieron al ácido y quedaron reducidos a una masa incandescente, gritando por sobrevivir. Cerró la puerta por fuera y salió en busca de Flamel.

En el exterior el combate se recrudecía. Más soldados de las fuerzas especiales habían llegado y había una verdadera batalla campal. Los hombres de Blanker estaban demostrando ser un hueso duro de roer. Él sabía que no tardarían en enviar a los cazas a la zona, que tenían solo unos pocos minutos para proteger la entrada, así que debían replegarse hacia la segunda fase de seguridad, junto a las puertas del Templo. El muro quedaría casi desprotegido, pero no podían hacer frente a los cazas desde allí. Varios Apache más fueron abatidos por los misiles y uno de los Chinook había perdido a todos sus hombres. Pero desde fuera combatían ferozmente, avanzando metro a metro. Blanker ordenó a sus hombres armar un prototipo que estaba en fase de pruebas y que nadie había usado aún. Se trataba de un HAARP, una máquina de pequeño formato que disparaba trenes de ondas hacia una dirección concreta de corta distancia. Lo montaron en una de las plataformas de misiles de la entrada del Templo.

—Señor —decía Blanker desde el comunicador—. Vamos a probarlo, van a venir los cazas y no tenemos armamento suficiente.

—Tengan cuidado —respondió Asmodeo desde el otro lado—. Podría ser peor el remedio que la enfermedad... —Pensó unos instantes en lo que iban a hacer—. Blanker, acorte la distancia del HAARP a menos de un kilómetro. No les dispare a ellos, apunte al cielo, justo sobre nosotros. Si quieren entrar van a tener que sortear una verdadera tormenta.

—¿Y los cazas, señor, cuánto tiempo tardará en formarse la tormenta?

—Es un prototipo, ¿recuerda? —le preguntó irónicamente Asmodeo—. Disparen ya y veamos lo que ocurre.

Blanker colocó el arma, miró a sus hombres y dio la orden. El haz de ondas chocó con el cielo y centró su fuerza a menos de un kilómetro del suelo. En unos instantes comenzó a formarse un pequeño círculo que oscilaba sobre sí mismo. Lo que fuera a pasar ya estaba en marcha. Ahora tocaba resistir.

* * *

Matthew, por fin, encontró a Morelli. Estaba completamente abatido y muy pálido, los ojos comenzaban a brillarle con un tono algo rojizo. Lo arrastró como pudo, buscando una salida. El padre no quería continuar.

—He traicionado al Señor, he traicionado al Señor... —repetía una y otra vez.

—El Señor está esperando que salgamos, padre, venga, ponga algo de su parte y camine —dijo a duras penas Matthew.

—Déjame aquí, ellos me han convertido en un diablo, mira. —El cura se desabrochó la camisa y le mostró el símbolo del anticristo marcado con hierro candente en su pecho. Una estrella de cinco puntas invertida con alguna inscripción y custodiada por tres serpientes enroscadas. El símbolo exhalaba una extraña luz interna, como si estuviera haciendo efecto dentro de él—. Voy a ser un siervo de él, me han preparado para su venida. Lo siento dentro, ya no puedo servir más a Dios, solo a él... Mátame, Matthew... hazlo, por favor, no quiero convertirme en un siervo del mal. Me está corroyendo por dentro, siento el mal en todo mi interior.

—No puedo, padre, yo no puedo matarle, no me lo pida. Aguante, cuando encontremos a Perenelle ella sabrá qué hacer...

* * *

Perenelle siguió su instinto y corrió hasta una gran sala. Tamiko ultimaba el ritual junto a varios magos. Flamel estaba atado a una silla, muy débil, le iban a marcar como a Morelli con el hierro sagrado, con la marca del anticristo. Perenelle corrió hacia la japonesa y le arrebató el hierro tirándolo al suelo. Las dos se miraron unos instantes. Tamiko sonrió y se quitó la casulla ritual.

—¿Has venido a morir? —le preguntó la japonesa, preparándose para el combate.

—Yo ya estoy muerta —replicó Perenelle.

Comenzaron a luchar. Matthew oyó los gritos y los ruidos y acercó al padre a la sala donde estaba Flamel.

—¡Perenelle! ¡Estás viva! —gritó Matthew. Los magos habían recogido el hierro y estaban pronunciando las palabras para marcar a Flamel.

—¡No dejes que lo marquen, Matthew! —gritaba ella mientras intentaba encajar los golpes de artes marciales de Tamiko, que acababa de sacar dos pequeñas y afiladas dagas.

Matthew cogió una barra de hierro de la chimenea y amenazó a los magos con atizarles. Intentó poner cara de experto en artes marciales o algo parecido, lo que había visto en las películas, pero algo no funcionaba porque los magos sonreían acercándose a él, sabiendo que no tenía suficiente poder para acabar con ellos. Matthew se defendía como podía junto a Flamel, pero ellos le rodeaban cada vez más estrechamente. De pronto algo les paralizó a todos. El padre Morelli dio un enorme alarido de dolor, y su cuerpo se zarandeó a varios metros alzándose sobre el suelo. Su camisa desapareció como volatilizada por una llama corta y rápida y su pecho parecía incandescente. Como si de un lobo se tratase, las uñas de sus manos crecieron; de pronto se abalanzó contra los magos que rodeaban a Matthew y, uno a uno, fue acabando con ellos, destrozándolos. Cuando llegó a Flamel intentó reprimir su brazo, pero lanzó un zarpazo que le marcó el rostro y el pecho. Matthew le sujetó como pudo cuando Morelli iba a rematarlo.

—¡Padre! —exclamó Matthew—. ¡Es de los nuestros!

—¡Salid! ¡Salid! —gritaba el cura fuera de sí, como si una bestia estuviera apoderándose de él poco a poco—. Dentro de poco no serviré más que a mi señor... ¡Huid de mí!

Todos se quedaron paralizados un instante. Perenelle corrió para ayudar a Matthew, que estaba desatando a Flamel, malherido por la zarpa de Morelli. Tamiko se preparó, sabía cómo enfrentarse a ese tipo de criaturas. O eso pensaba. La bestia en la que se estaba convirtiendo el cura saltó hacia ella y entablaron una lucha a muerte.

—¡Corre, Matthew! —gritaba Perenelle—. Hay que ir a los túneles, todo va a explotar.

—Dejadme aquí —susurraba Flamel, demasiado débil para continuar.

—No te vamos a dejar —dijo Matthew—. No hemos llegado hasta aquí para abandonarte cuando más nos necesitas.

Salieron de aquella estancia mientras Tamiko y el siervo del antimesías seguían su combate. Corrieron, intentando huir de los disparos de los soldados que se filtraban por las ventanas. Matthew seguía teniendo el mapa en la cabeza, debían bajar al primer sótano y buscar la entrada de los túneles. Si el mapa no mentía, la red de túneles secretos los sacaría al desierto, muy lejos de allí.

En el exterior la tormenta comenzaba a ser un tremendo huracán. El círculo de energía que se había concentrado sobre el Templo estaba atrayendo montañas de arena, y los helicópteros que estaban en el aire hacían aterrizajes de emergencia o no lo conseguían y caían contra las montañas, como si fueran de plástico. Como juguetes. Asmodeo sonrió. Se dirigió a todos los doctores que habían participado en el experimento y guardó las maletas con el ADN de Matthew. María, la mujer que iba a albergar al antimesías, estaba en una silla de ruedas, protegida por varios de sus mejores hombres. Uno de ellos, el director del proyecto que había trabajado con el cuerpo de Matthew, le dio una pequeña cápsula.

—Todo está a salvo, los datos están intactos —le comentó a Asmodeo mirando a los otros doctores.

—La partícula está dentro —preguntó él.

—Sí, el proyecto sigue en marcha, solo es cuestión de tiempo.

—¿Y ellos? —preguntó Asmodeo levantando la mirada hacia los científicos y doctores que guardaban los restos de la investigación.

—Los Guardianes ya están en el túnel —contestó el director.

Asmodeo dio orden a los soldados de que recogieran todos los datos e hicieran esperar a los científicos en una de las salas. Después debían ejecutarles sin dejar rastro, nadie debía contar nada de lo que allí había sucedido. Y así lo hicieron. Los Guardianes, con Asmodeo a la cabeza, se dirigieron al túnel secreto en un pequeño tren supersónico que los llevaría directamente a un aeropuerto privado, a unos 300 kilómetros de allí. La infraestructura subterránea del Templo era impresionante. Allí colocaron todo lo que debían salvar y se montaron todos los Guardianes que debían salvarse.

* * *

Perenelle sintió temblar el suelo y miró a Matthew mientras huían buscando la entrada al túnel. Ojalá hubieran sabido dónde se encontraba el otro pasadizo secreto por donde escaparon Asmodeo y los suyos. Era la piedra, había llegado la hora. Perenelle miró el pequeño reloj de su muñeca, la explosión recorrería todo el recinto en unos segundos y debían darse prisa. Corrieron hacia los sótanos y bajaron una pequeña escalerilla en forma de caracol. Flamel era una carga, a duras penas podía casi moverse y le costaba mucho permanecer consciente. Consiguieron bajarle con mucha dificultad y llegaron, por fin, a la puerta del túnel de emergencia. Entonces estalló, justo cuando cerraban la enorme puerta acorazada de acceso a aquel pasillo. Los tres salieron disparados hacia el interior.

Sintieron la sacudida de un enorme terremoto, la tierra se movía por todas partes y ellos eran incapaces de mantener el equilibrio ante el ángulo de los giros terrestres. Matthew intentó encender unos fusibles que había en una caja de luz, pero todo parecía haber muerto. Entonces la tierra dejó de temblar y todo se calmó. Silencio, solo silencio. Los dos se miraron, sabían que habían sobrevivido a la explosión, pero no tardaría en caer toda la estructura. De pronto se dieron cuenta de que Flamel permanecía en el suelo. Al salir despedido se había clavado un hierro que le había atravesado el costado. Consiguieron quitárselo y la sangre brotó como una fuente. Perenelle le introdujo un trozo de su camiseta negra e intentó taponar la herida. Flamel estaba realmente débil, moribundo. Las luces de emergencia se activaban intermitentemente y sintieron la presencia. No estaban solos. El padre Morelli, o la criatura en la que se había convertido, los miraba tranquilo, sentado en la oscuridad. Mitad humano, mitad bestia.

—No os puedo dejar salir —susurró—. Nadie debe conocer el secreto de Su llegada. ¿Cómo preferís morir? —decía mirando al suelo, arañando con una de sus uñas convertidas en garras una plancha de metal.

—Marchaos —afirmó Flamel levantándose, como si una fuerza de reserva, algo oculto, le hubiera insuflado nuevas energías. Miraba respirando hondamente, como si siempre hubiera estado preparando ese momento. Juntó sus manos y dio una palmada mientras repetía unas oraciones. Sus manos casi se pusieron incandescentes y, entonces, se quitó el trozo de tela que le había puesto Perenelle y cicatrizó sus propias heridas, los orificios de entrada y de salida que le había provocado el hierro en la explosión—. Tu amo todavía no va a venir. —Sonrió a la criatura.

—Te equivocas, lo siento, él está preparado. La mujer está siendo fecundada ahora mismo... Huele, ¿lo percibes?... Vosotros, los Adeptos, nunca percibís estas cosas, sois demasiado corrientes. Demasiado humanos.

—¡Pase lo que pase, corred! —exclamó Flamel—. Perenelle, debes salvar a Conrad, él es más importante que todos nosotros. Si él viene, solo Conrad podrá enfrentarse a su poder.

Perenelle miró a Matthew y negó con la cabeza.

—Tiene razón, Matthew, vamos.

—Ahora iré a por vosotros. —Sonrió Morelli.

Los dos corrieron con todas las fuerzas que les quedaban hacia el fondo del túnel. Matthew sabía que aquel agujero los llevaría unos cuantos kilómetros hacia el desierto, hacia las montañas, quizá tardarían horas en llegar, pero debían intentarlo. No miraron hacia atrás, poco a poco la curva que hacía el túnel les fue borrando las siluetas de Flamel y la bestia.

* * *

—¿Cuánto crees que vas a durar, Flamel? —La criatura comenzó a caminar de lado a lado—. Sabes que Conrad debe morir, pero a tu mujercita le espera un destino más apetecible, quizá se la lleve a Él, para que la convierta en algo mejor. La Primera Sierva.

—Hay muchas cosas que el maestro Sheng no te contó, Morelli... Algunos de nosotros tampoco somos humanos...

Comenzaron a luchar. Flamel había invocado a las Viejas Fuerzas, las de los maestros antiguos, las que

nadie podía controlar. Quizá eran demasiado podero-
sas para él, pero no tenía más opción.

* * *

Perenelle y Matthew se detuvieron un instante al
escuchar los alaridos de la lucha, pero debían seguir
corriendo. En el principio del túnel parecían estar combatiendo decenas de guerreros. Continuaron la carrera
hacia el otro extremo, esperando poder salir.

Matthew estaba perdido, todo el mundo hablaba de
él como si ya fuera Conrad, pero él no lo tenía tan claro.
No sentía que hubiera perdido su identidad. Los recuerdos le bailaban, cada vez eran más distorsionados,
y comenzaba a notar una paz y una sabiduría que nunca
antes había sentido, pero él era Matthew, Ofiuco, el de
las ironías, el borrachete, el mujeriego... No quería fallar a Perenelle, pero quizá se estaban equivocando y
Flamel iba a dar su vida por una quimera.

En el exterior la explosión dio paso a la calma, final-
mente casi todo el Templo había sido arrasado y los
soldados americanos, lo que quedaba de ellos, comenzaban a entrar por los escombros. Habían traído todo
un ejército: tanques, tropas, cientos de hombres. Los
helicópteros sobrevolaban la zona intentando encontrar algún superviviente, alguien capaz de explicar lo
que había pasado. Los soldados a los que se habían enfrentado habían preferido morir antes que entregarse y
siguieron disparando hasta caer abatidos. Blanker había huido con varios de sus hombres en el último momento, en el tren que llevaba a los Guardianes. A los
que se quedaban combatiendo les había hecho prome-
ter que darían su vida por el regreso de Él. Todos pen-

saban que cuando Él llegara a la Tierra de nuevo volve-
rían a la vida, por eso se sentían inmortales.

—¿Y si regresamos, Perenelle? —preguntó Matthew
deteniéndose—. ¿Y si no soy lo que pensáis que soy?

—Si Morelli no ha venido a por nosotros es que siguen luchando, hay que continuar —respondió Perenelle acercándose—. Debemos salvarte.

—¿Es que no lo ves? ¡Sigo siendo Matthew!

—No te das cuenta. —Ella lo pensó unos instantes
y le besó en los labios. Un beso corto pero intenso, de
esos besos que hacen que el presente se convierta en
algo inolvidable—. Yo creo en ti, Matthew. Yo he visto
lo que eres. Sea lo que sea lo divino, está en ti. Lo per-
cibí la primera vez que te vi.

—Espero que tengas razón. ¿Sabes?... creo que eres
la primera mujer de mi vida que me besa y me deja
sin palabras. —Los dos rieron.

—Sigues siendo Matthew, de eso no hay duda.

Continuaron corriendo hacia la salida del túnel.
Los sonidos del combate de Flamel hacía tiempo que
habían quedado atrás. Debían continuar. Perenelle sabía que Nicolás no se dejaría vencer, para este momento, y para los que vendrían, se habían estado preparando todos esos años. Y Sheng no lo iba a dejar
solo. Por fin llegaron al final, abrieron una pequeña
puerta de hierro oxidado y volvieron a cerrar por dentro. Encontraron un pequeño armario con un par de
mochilas; sin duda, los últimos que habían utilizado
aquel túnel sabían a lo que se iban a enfrentar. Un revólver con tres balas, unos prismáticos, unas pastillas
potabilizadoras, un par de cuchillos, dos cantimploras vacías y unas latas de comida. Matthew encontró
algo de ropa, un uniforme gris que parecía militar. Se

lo puso, prefería eso a la bata. Subieron por un hueco, parecido al de una toma de aire o una alcantarilla, estrecho y circular, y asomaron la cabeza.

El desierto, enorme, gigantesco, ardiente. Estaba amaneciendo y todavía se sentía el frescor de la noche, pero debían prepararse para el calor. Habían recorrido muchos kilómetros, no acertaban a saber cuántos, pero estaban lejos del Templo, o de lo que quedaba de él. Subieron a una pequeña montaña, un risco elevado desde el que se veían todas las piezas del horizonte. Desde allí pudieron atisbar con los prismáticos el despliegue de todo un ejército en la zona. Habían levantado un pequeño hospital de campaña y un puesto de mando, y habían acordonado el área. Debían tener cuidado y apartarse de los caminos hasta alejarse un poco.

—Espero que Flamel encuentre una salida —comentaba Perenelle intentando localizarle con los prismáticos, con los que hacía un pequeño recorrido de varios cientos de metros alrededor del Templo.

—¿Cuántos Adeptos quedarán? —preguntó Matthew.

—No lo sé, habrá que reconstruir todo, como tantas veces, pero hay que darse prisa. Es absolutamente necesario que nos reunamos con Sheng, Asmodeo está más cerca que nunca de...

—Sheng nos encontrará, seguro, ya lo sabes... él nunca deja nada a la casualidad.

—Eso espero. —Suspiró Perenelle guardando los prismáticos.

Recorrieron un enorme trecho, buscando agua, caminando por uno de los cañones orientados al norte. Matthew había sido aficionado al senderismo, incluso había recorrido la zona desértica cercana al Atlas, en Marruecos, pero Nuevo México no era igual. Los restos del huracán habían traído precipitaciones y se habían depositado en varios huecos entre las rocas. Empaparon sus camisetas y fueron escurriéndolas sobre la boca de las cantimploras. Después bebieron hasta quedar saciados y continuaron el camino.

—Sería triste morir aquí después de todo, morir de deshidratación —bromeaba Matthew.

—Mira. —Le indicó Perenelle señalando hacia el cielo—. Aves.

—¿Qué son, buitres? Lo mismo piensan que somos su merienda.

—No parecen buitres, y si no son buitres es que se acaba el desierto.

Subieron de nuevo a un alto y sacaron los prismáticos. Por fin, a unos kilómetros, observaron un serpenteante sendero que se alejaba hacia el infinito.

—La autopista.

—¿La Ruta 66? —preguntó Matthew.

—No lo sé. Pero es nuestra única opción.

—Habrá controles militares por toda la zona, ¿no?

—No lo creo, ni siquiera habrán avisado a la policía local, ¿tú qué harías?... esto es zona reservada, toda esta región es material clasificado del ejército. No creo que nadie hable de lo que ha pasado aquí. De todas formas, si nos paran somos turistas que se han perdido. Turistas franceses. ¿Qué tal tu francés?

—*Très bien* —contestó Matthew levantando las cejas.

—Mejor que no hables mucho...

Descendieron hasta llegar a la carretera. Caminaron unos kilómetros con la esperanza de que pasara algún coche, un camión, lo que fuera. Si aquello era la Ruta 66, alguien tendría que atravesarla en algún momento. Un par de horas más tarde vieron acercarse una furgoneta, una Volkswagen como la que usaban los *hippies* en los 60. Los dos hicieron la señal de autostop y la furgoneta se detuvo. Eran un par de sesentones, un matrimonio. Cuando abrieron la ventana salió del interior una nube de marihuana y la música de Pink Floyd. Matthew sonrió.

—¿*Meddle?* —preguntó Matthew al melenudo que estaba en el asiento del copiloto. El tipo miró a la mujer y sonrió.

—El mejor disco de Pink Floyd.

—Estoy contigo, «Echoes» es la mejor canción de la historia —apuntó Matthew.

—¿Os llevamos a algún lado? —dijo la conductora—. ¡Vaya tormenta!... ¿Os ha pillado?

Subieron a la furgoneta con la vaga sensación de conocer a aquellos dos personajes, de haber estado esperándolos durante años. Había cierto parecido entre los cuatro, como si tuvieran un pasado común. El tipo miró para atrás, para ver si ya estaban colocados en sus asientos, y comenzó a aullar como un indio navajo. Después volvió a reanudar la música en el mismo sitio donde la habían detenido. Perenelle y Matthew miraron atrás para ver si alguien los había seguido, todo parecía tranquilo.

La furgoneta arrancó. Permanecieron mirándose durante unos segundos y luego sonrieron. Lentamente buscaron sus manos en el centro del asiento y se las apretaron con fuerza. Su historia solo acababa de comenzar. Y la letra de la canción parecía haber sido escrita para aquel preciso momento.